PORTRAITS DE SARAJEVO

Zlatko Dizdarević

PORTRAITS DE SARAJEVO

Traduit du serbo-croate par Sasa Sirovec

Photos Gérard Rondeau

1994
SPENGLER
36, rue Fontaine
75009 Paris

ISBN 2-909997-11-1
Imprimé en France

A mon père

Nuits fauves sur la Bosnie

Défaut d'imagination et défaut de mémoire. Il y a trois ans à peine, qui eût prédit? Une cité de 300 000 réfractaires, ici et maintenant, au cœur de l'Europe, subit la strangulation lente d'un siège impitoyable. Depuis vingt-quatre mois, chaque soir inflige son lot d'images obscènes. Simples passants tirés comme lapins, enfants éventrés. Murs éclatés en soleils noirs. Hémoglobine coagulée dans les vitres brisées qui crissent sous les pieds. En direct et en mondiovision. Tout droit du gibet à la salle à manger. Une capitale est prise en otage, selon un scénario catastrophe dont seul Hollywood semblait connaître le secret. Deux ans de kermesse sanglante. Les joyeux kidnappeurs campent sur les collines, canonnent quand bon leur semble et balancent à l'Europe incrédule les photos de leurs victimes, comme les maîtres chanteurs mafieux authentifient leur demande de rançon en joignant un bout du doigt ou une oreille de leur prisonnier. Avant, cela paraissait inconcevable. Après, il deviendra indélicat de s'en souvenir. Aujourd'hui, on n'en croit pas ses yeux.

Le citoyen de Sarajevo, ville olympique, ouverte et calme, partagea l'originelle stupéfaction. Il fut douloureusement contraint de se rendre à l'évidence : puisque de telles cruautés ont lieu, c'est qu'elles étaient déjà possibles et qu'elles étaient reproductibles telles. D'où le ton de Zlatko Dizdarević parfaitement serein, dépourvu d'acrimonie, épousant le dérisoire plus que l'indignation, pariant sur l'ironique tendresse pour dominer la haine. La vie va de soi, quotidienne et banale, fût-elle un cauchemar. Aristote confie que la philosophie commence par l'étonnement, en ajoutant qu'elle continue dans l'étonnement de s'être étonné. Voilà pourquoi il faut lire ce livre : ses héros vivent l'extraordinaire au jour le jour, ils sont philosophiquement en avance sur nous. Au prix de quelques illusions perdues, ils en savent plus long sur la condition humaine. Tandis que la télévision présente leurs visages anonymes et nous pousse à les interroger, Zlatko dévoile leurs discours intimes et, en douceur, retourne l'interrogation sur nous.

« Un conflit d'un autre âge », « comment est-ce possible ? »... Ne jouons pas les étonnés. Ces horreurs, ces viols, ces meurtres collectifs, qui semblent remonter d'une histoire supposée terminée, se déchiffrent comme un pressentiment d'avenir, comme la prolifération anticipée déjà, imprécise encore, des temps nouveaux.

Après la chute du fascisme, le libéral Croce s'exclama : « La parenthèse est fermée. » Les Européens, croyant se retrouver entre personnes de bonne compagnie, mirent longtemps à déchanter. Avec l'effondrement soviétique, on se prit une nouvelle fois à rêver, célébrant, à bouche que veux-tu, la fin de l'histoire, la maison unique européenne et le bienheureux cosmopolitisme d'un nouvel ordre planétaire. Sarajevo rappelle à l'inhumaine réalité. Ou bien nous sacrifions la ville à nos rêveries, ou bien il faut cesser de nous mentir.

Portraits de Sarajevo

Depuis la Belle Époque, l'Européen moyen aura vécu des années de guerre, des jours de grève et des heures d'extases. Consultez le fichier XXe siècle des bibliothèques savantes, vous trouverez quelques volumes consacrés aux conflits armés, des rayonnages combles sur l'art et la manière de gérer les luttes sociales, des salles à l'infini vouées aux thérapies de la jouissance. Le fracas, la souffrance, la boue intéressent au premier chef notre vie, au dernier notre intellect. Les batailles suscitent une inquiétude mentale inversement proportionnelle à l'ébranlement qu'elles propagent. Scientifiquement, elles demeurent un sujet sinon tabou, du moins peu fréquenté. La guerre, on ne la fait pas, on ne nous la fait pas, elle éclate. Accrochés à leur poste de télé des Terriens, par centaines de millions, la prennent de plein fouet.

Commentant quelques passages de l'Iliade, le très érudit Hermann Frankel remarquait combien la perception des anciens Grecs est devenue étrangère au lecteur moderne, seules quelques locutions courantes et vidées de leur sens suggèrent un frêle écho : « Dans une expression comme "la guerre éclate", on pressent que la guerre est appréhendée comme s'il s'agissait d'un animal sauvage sautant tout à coup hors de son repaire. Cette intuition nous l'avons cependant depuis longtemps oubliée. » Pour un contemporain d'Homère, Arès, dieu de la guerre, ne se tient pas derrière son œuvre comme le metteur en scène d'une dramaturgie. Il est part du spectacle. Il s'ajoute au fracas des armes et à l'impétuosité des combattants, comme à la jeunesse sa fleur. « Au cœur de chaque bataille, c'est lui qui agit et la dynamique qui se libère dans le heurt des armes peut à juste titre être nommée "Arès". »

Tout à coup, transis par Polemos redevenu « père de toutes choses » (Heraclite), les repères coutumiers de nos paix perpétuelles faiblissent. La terre ferme lâche. Le plancher des vaches se fissure. Nous sommes embarqués dans un autre monde.

Pas Doubrovnik, pas Zagreb, pas Osijek. La trépanation de l'Europe ne s'autorise que de Sarajevo. Aux crimes actuels se superpose un message subliminal : attention 1914 ! Le doigt dans l'engrenage et tout recommence. Belgrade orchestre : laissez-nous faire. Les élites de Bruxelles, Paris, Londres se résignent : laissons tomber. Excisons le lieu du commencement de la fin. Ici, sombra le continent qui régentait la planète. Enterrons ce passé, et la Bosnie avec.

Blessures narcissiques et souvenirs mal assumés collent à la peau. Sur la quatrième de couverture d'un ouvrage juste paru, je lis : « Le xxe siècle a commencé à Sarajevo en 1914, il s'est achevé sous nos yeux à Moscou en août 1991. » Repérons ici le fantasme des gens honorables : ils entendent quitter ce siècle de fureur et de terreur sur la pointe des pieds.

Vous croyez les pacifistes grotesques, sympathiques et virulents des années 80 disparus ? Que non, leurs idées ont pris de la bouteille, ils gouvernent. Vous imaginez que les quinze petites sœurs du Carmel sont biens seules à planter une croix dans un remords qui vampirise, seules à suturer la parenthèse, exorciser Auschwitz et célébrer l'Europe chrétiennement réconciliée ? Leurs frères, moins innocents, siègent à Bruxelles et Genève, ils s'apprêtent à baptiser paix les charniers de Bosnie-Herzegovine. La belle époque est devant nous. Que le beau monde s'estimait « bon » en 1900, avant les carnages ! Comme il se promet radieux après ! On efface tout et on recommence ?

La lie du siècle soudain est remontée. Sarajevo affronte ce que l'histoire européenne d'abord, puis mondiale a révélé de pire, une fureur totalitaire, illustrée par la formule du général Mladic « Etalez-leur la cervelle ! ». Zlatko Dizdarević épingle une version nouvelle d'une monstruosité connue : le fascisme. La ville assiégée élit l'homme de l'année ? Pas Clinton. Pas Mitterrand. Mais Jirinovski : puisse-t-il faire entrevoir que les massacres, ici, ne sont pas ataviques ou folkloriques, qu'ils n'opposent pas des tribus balkaniques ou des ethnies retardataires. Ces Messieurs d'Occident comprendront un jour que l'assiégé bosniaque réssiste en démocrate à la renaissance post-communiste d'une virulence ethnocide qu'ils ont tort d'imaginer locale et exotique, alors qu'elle menace d'embraser l'Europe entière, en passant par Moscou.

Sarajevo fait l'expérience sensible d'un nihilisme totalitaire du troisième type qu'en Russie on baptise brun-rouge. Nommons ce retour massacreur un fascisme fauve (à la fin noire et écarlate). Un spectre hante à nouveau l'Europe : le National-Communisme. Au risque d'époustoufler les naïfs, la fusion des appareils vétéro-communistes et de l'esprit skinhead néonazi n'est pas fortuite, ni surréaliste, ni absurde. L'alliance scellée sur les pavés de Moscou et sur la terre brûlée de Bosnie n'a rien d'une première géographique ou historique. Le fascisme et le communisme, sources doctrinales et militantes du parti BAAS gouvernent de conserve à Bagdad comme à Damas. Les fauteurs de la catastrophe yougoslaves, Milosevic, son ex-armée rouge et son ex-parti communiste témoignent combien l'ultra-chauvinisme métabolise illico avec la pratique marxiste-léniniste. La mayonnaise prend automatiquement.

En Allemagne, les jeunes pionniers perdus, ex-FDJ de l'est rencontrent les nazillons de l'ouest pour incendier les foyers d'étrangers. En France, des intellectuels et apparatchiks du PC tiennent meetings communs avec une ultra-droite où Le Pen fait figure de dangereux modéré. L'occasion fait le larron : contre l'impérialisme yankee, pour Saddam, tous unis ! L'anti-américanisme, l'antisémitisme, l'anti-occidentalisme, l'anticosmopolitisme sont les leitmotiv éternels des fondamentalismes qui mirent la planète à feu. Souvent rivaux et ennemis en politique, ils demeurent frères en idéologie. De Staline à Hitler et vice versa.

« National-communiste », l'étiquette parut d'abord infamante. Les militants se la renvoyaient sur le mode, je vois la paille dans ton œil, pas la poutre dans le mien. Lénine signe la paix-défaite de Brest-Litovsk et se trouve fustigé pour « soviétisme national » par Radek qui, autocritique faite, s'accorde avec le patron pour dénoncer le « national bolchevisme » des communistes de Hambourg. Et le manège tourne au son de l'Internationale. Radek, le même, s'en va chanter la gloire « nationale et révolutionnaire » de Leo Schlageter, ce « voyageur du néant » fusillé pour action anti-française par Poincaré. Quand on s'oppose à l'armée Rouge, on voyage dans le néant. Quand on combat le « capitalisme de l'Entente », on caresse le sens de l'histoire ! Schlageter, modèle des léninistes devient le héros des jeunesses hitlériennes et du philosophe Heidegger en 1933.

Le refrain national-bolchevique est très vite entonné par les intellectuels qui, parfois à leur insu, préparent idéologiquement l'arrivée de Hitler au pouvoir, E. Junger, C. Schmitt, Niekisch, avec en arrière-fond des gloires établies : Rathenau, Keyserling et, quelque temps, Thomas Mann. Ils brodent, inlassables, sur le même thème : la Révolution conservatrice, la « Germanité », bâtir à tout prix un avenir national, rompre radicalement.

A bas le règne de la corruption, de la robotisation ! A bas la loi du marché ! L'argent détruit les âmes. L'étranger est délétère, il déracine le peuple travailleur, etc. Schéma invariant des programmes fondamentalistes. Extrême droite et extrême gauche, la même musique et des paroles semblables dédiées, selon les cas, à la classe ou à la nation, cette masse infiniment mobilisable, supposée n'avoir plus rien à perdre, donc que rien ne doit arrêter... Auschwitz et le Goulag rôdent à l'horizon.

Communauté plus révolution. Révolution au nom de la Communauté. Le cocktail demeure détonnant. Rien à voir avec le nationalisme folklorique du XIXe siècle. La communauté de race, de classe ou de foi se sent une vocation cosmique. Il s'agit de sauver le monde et d'en confier le destin à une collectivité élue : prolétaires de tous les pays, peuples opprimés, germains, slaves, musulmans... La liste des rédempteurs professionnels n'est pas close. Celle des candidats Führers non plus.

L'alliance brun-rouge n'émerge pas contre nature. Elle est intellectuellement naturelle et politiquement fréquente. Preuve par Rapallo : dès les années vingt Lénine ouvre les camps d'entraînement soviétiques à la fraction dure d'une armée allemande vaincue et interdite. Preuve par les SA nazies peuplées de militants communistes : sections « bifteck », brunes à l'extérieur, rouges à l'intérieur, disaient les dockers de la Hanse. Preuve par le pacte Staline-Hitler. Preuve par Mussolini ancien chef socialiste. Preuve par la fougue qui poussa ses fidèles, après sa mort, au parti communiste. Preuve par le soutien total accordé par Castro aux généraux bourreaux d'Argentine quand ceux-ci firent la guerre à Mme Thatcher : tous contre l'impérialisme ! Oubliés les 25 000 torturés des geôles de Buenos Aires...

L'union sacrée des fascistes et des communistes porte en elle la guerre et les camps de concentration comme la nuée l'orage. En l'occurrence preuve par Milosevic et preuve par Karadzic.

Zlatko raconte. Il ne dénonce pas. Il n'invective pas les uns pour héroïser les autres. L'imagerie d'Epinal n'est nullement son fort. Il se garde d'étouffer sa cité sous de prestigieuses fresques rétrospectives. Il n'habite point la mythique Madrid, forteresse républicaine de 1937. Si le souvenir sublime de l'insurrection du ghetto de Varsovie le hante, il nous épargne les identifications abusives. Sarajevo ne tire pas sa poésie du passé, mais de l'avenir. Quoi qu'il arrive, et le pire demeure possible, les simples habitants ont passé la ligne. A l'absurdité stérile de la guerre qu'on leur fait, ils opposent l'absurdité inventive d'une vie qui refuse de se laisser stériliser. Ecoutez plutôt l'adolescent.

Portraits de Sarajevo

... « Tu vois c'est ici que la balle est entrée dans la tête, de ce côté, et c'est de l'autre côté qu'elle est sortie. Je croyais que j'étais mort (...) on m'a recousu. Je suis resté en vie (...) Sain et sauf, puisque je te le dis ; j'étais parfaitement normal, j'avais toute ma tête. Et puis, j'ai rencontré cette petite de quatorze ans. Tu sais quoi, journaliste ? Je suis devenu complètement fou, d'amour. Fou à lier. A la réflexion, je me dis que c'est foutu la vie quand on est fou. Tandis que la balle, ça ne m'a rien fait. »

La ville, affamée, accablée, martyrisée, cassée, a gagné spirituellement sa guerre. Elle vit dès aujourd'hui dans l'après-demain, car « après chaque guerre, il y a une sorte de malaise, de gouffre intérieur, de vide, ce qui fait qu'on voit les choses un peu plus nettement. Et avec un certain humour, évidemment noir », écrivait Ionesco. Les nuits fauves des tueurs grands serbes sont d'ores et déjà trouées par les rires d'une cantatrice chauve.

André Glucksmann

Introduction

Un jour, quand tout sera terminé, quand, à l'étranger, il n'y aura plus de honte, quand le goût de la défaite ou du triomphe se sera évanoui, l'Histoire sera, sans aucun doute, plus riche d'un grand nom — Sarajevo. Peu importe si cette notion, ce jalon ou ce symbole suscitera ou non des différends. « Sarajevo sera, tout le reste passera », dit la chanson qui vivra à jamais. Mais c'est ainsi que se glissera aussi dans l'Histoire une grande injustice. En effet, ce ne sont pas les habitants de Sarajevo qui resteront gravés dans la mémoire, mais leur ville en tant qu'entité et en tant que fait. Telle est d'ailleurs l'injustice générale de cette guerre qui n'a été menée ni contre les villes, ni contre les États, ni contre les nations ou contre les frontières, mais avant tout et exclusivement contre l'homme, au plus beau sens du terme. Si l'on admet que le « beau sens » de ce mot demeure possible après ce qui s'est produit.

Bien entendu, aucun livre n'a jamais pu corriger une injustice historique. Celui-ci ne le fera pas plus que les autres. Telle n'était pas non plus son intention. Ce livre est néanmoins une petite tentative personnelle pour qu'on n'oublie pas qui était Sarajevo, ce qu'était Sarajevo. Il essaie de reprendre l'histoire sur Sarajevo là où elle a commencé et où elle se terminera. Occultés par le mythe

— artificiellement construit et maintenu — d'une Ville, il s'agit d'essayer — sans grandes prétentions — de faire sortir de l'ombre les Gens de Sarajevo, ceux qui n'ont jamais voulu devenir mythe, légende, éternité. Or personne n'a souhaité les entendre ni exaucer ce désir si simple. Il s'agit de ceux qui n'ont jamais, pas même à la fin, réussi à comprendre des choses ordinaires, d'où leur question : « Pourquoi nous fait-on cela ? » Ces gens sont les derniers sur cette planète à se rendre compte que la vie et la mort ne sont pas régies par le cœur et la raison, par la bonté et le bonheur, mais par le calcul et l'intérêt, par la force et le primitivisme.

Les personnages de ce livre ne sont ni meilleurs ni pires que tous les autres Sarajéviens. Ces histoires ne résultent d'aucune sélection particulière, car à Sarajevo, depuis que la tuerie a commencé, il n'y a pas eu de sélection, du moins en ce qui concerne les choses essentielles. Ces gens sont ici simplement parce qu'ils se sont trouvés sur le chemin du chroniqueur, comme ils auraient pu se trouver aux endroits sans retour. « C'est comme ça, c'est tout », dit-on à Sarajevo.

Le temps montrera si c'était leur chance ou leur tragédie de porter ensemble ce nom — Sarajéviens. Quant à l'auteur de ce livre, en dépit de tout, il n'a jamais eu de dilemme à ce sujet. Au cours de cette guerre, on nous a tout pris sauf le fait d'être restés Sarajéviens dans tous les sens de ce mot incroyable. Dans ce dénuement, nous éprouvons une sensation merveilleuse.

Zlatko Dizdarević
Sarajevo, mars 1994
(le lendemain de notre victoire
sur l'équipe de l'ONU par 4 à 0).

La balle et l'amour

« J'étais dans la rue, je traversais Dobrinja, lorsqu'un *sniper* m'a trouvé. Tu vois, c'est ici que la balle est entrée dans la tête, de ce côté, et c'est de l'autre côté qu'elle est sortie. Je croyais que j'étais mort, mais je ne l'étais pas. On m'a porté à l'hôpital, on m'a recousu, je suis resté en vie. Le principal c'est que tout semblait en ordre. Un mois plus tard, je suis sorti sain et sauf. Sain et sauf, puisque je te le dis : j'étais parfaitement normal, j'avais toute ma tête. Et puis, j'ai rencontré cette petite de quatorze ans. Tu sais quoi, journaliste ? Je suis devenu complètement fou, d'amour. Fou à lier. A la réflexion, je me dis c'est foutu, la vie, quand on est fou. Tandis que la balle, ça ne m'a rien fait... »

Garçon de seize ans de Dobrinja, Sarajevo.

Par les toits, jusqu'aux enfants

Au cours du deuxième printemps de guerre, après un an d'obscurité, la lumière est soudain revenue dans l'appartement de l'architecte Željko Petrović, en dépit de toute « logique » sarajévienne, indépendamment de tout plan de rétablissement de l'électricité. C'était un mystère même pour nos connaisseurs — spécialistes du détournement de l'électricité — des lignes prioritaires qui alimentent les hôpitaux, les boulangeries, la Poste, etc. En réalité, l'histoire est simple.

Au tout début de la guerre, les enfants de Željko sont partis se réfugier avec leur mère quelque part à l'étranger. Pas une seule fois le père n'a réussi à leur parler au téléphone. Pendant longtemps, il ne savait pas exactement où ils étaient, comment ils vivaient. Un beau jour, quelqu'un lui a transmis une vidéocassette où sa fille et son fils lui parlaient pendant une heure d'eux-mêmes et de leur mère, lui montraient leurs nouvelles dents poussées entretemps, riaient et chantaient, embrassaient leur père, lui promettaient des promenades à Sarajevo, comme jadis, et des vacances à la mer...

Il avait donc la cassette, il savait de qui elle venait et ce qui était dessus. Mais il ne pouvait pas la voir car il n'y avait pas d'électricité. Ceux qui possédaient des batteries de voitures les conservaient jalousement pour les dernières nouvelles concernant les « initiatives diplomatiques », les « attaques aériennes » et autres sottises. Une heure d'utilisation du téléviseur et du magnétoscope, c'est vraiment beaucoup. Au bout de trois jours pendant lesquels Željko s'est promené, désemparé, avec la cassette sous le bras, une solution folle lui est venue à l'esprit. Après avoir emprunté quelque part trois cents mètres de câble, il a enfoncé une nuit la porte d'un poste de distribution d'électricité — par où passait la ligne prioritaire pour l'hôpital —, il a branché son câble là où il fallait, et il l'a déroulé jusqu'à son appartement. C'était une opération très simple :

« Un camarade de classe, ingénieur en électronique, m'a expliqué comment on était connecté au réseau. Je n'ai pas osé lui confier pourquoi cela m'intéressait, car j'avais peur qu'il refuse de me le dire. Bien entendu, j'ignorais totalement comment il fallait le faire à l'intérieur, dans le poste de distribution. C'est probablement vrai que j'aurais pu être électrocuté. Après tout, ça m'était égal. Si j'avais dû continuer à porter sur moi les visages et les voix de mes enfants sans pouvoir les voir ni les entendre, j'en aurais été mort également. Mon cœur se serait brisé. Comment j'ai amené le câble ? Sans problème, j'ai traversé les toits, la nuit, par là où on pouvait passer. Lorsque ce n'était pas possible, je frappais à la porte des voisins, je demandais aux gens de me laisser dérouler le câble à travers leurs cuisines, chambres et salles de bains. Je leur disais de quoi il s'agissait, tous étaient prêts à m'aider. La nuit où on a terminé le travail, je crois qu'on était une vingtaine à nous promener sur les toits, en se concertant pendant qu'on tirait le câble d'une maison à l'autre. Les policiers, dans une guérite qui se trouvait sur notre chemin, ont accepté de fermer les yeux quand je leur ai expliqué l'affaire. Je leur ai promis que je n'allais voler l'électricité que pendant vingt-quatre heures et que j'allais me débrancher aussitôt le délai expiré. Ils m'ont dit que cela pouvait être "contagieux", que je ne devais en parler à personne. Le lendemain, un voisin a amené un expert en "distribution d'électricité", celui-ci a vérifié comment nous avions "fait le travail", puis il a dit que le câble pouvait rester pendant deux jours. Puis nous avons regardé tous ensemble la cassette, pour la énième fois. Certaines voisines pleuraient... »

A partir de ce jour-là, la guerre était complètement différente pour l'architecte Željko Petrović : d'une certaine manière, elle est devenue ordinaire.

Le chemin vers Ilidža

Rue de Skerlić, au cœur de Sarajevo, habitent le père et sa fille de douze ans : Kasim et Amra. La mère et le frère d'Amra ont réussi à sortir de la ville au tout début de la guerre. Ils se sont rendus par un convoi jusqu'à la mer, puis dans un village de République tchèque, chez des parents en Allemagne, et enfin, grâce à de solides relations, au Canada. La mère et le fils espéraient que Kasim et Amra viendraient les rejoindre, qu'ils commenceraient tous ensemble une nouvelle vie. Mais les retrouvailles n'arrivaient pas. La nouvelle vie a commencé, mais elle se déroule séparément. Il y a de moins en moins d'espoir que cela change bientôt. Entre-temps, il faut vivre. Il faut s'habituer à ce qui est. Kasim est soldat, deux jours « en ligne », généralement à Žuč — où c'est toujours le pire — et deux jours à la maison, avec sa fille. Pendant les deux jours où Amra est seule, les voisins s'occupent un peu d'elle, puis elle est pendant deux jours avec son père. Les deux premiers jours elle vit pour les deux suivants. Souvent, je les vois par la fenêtre quand ils descendent la rue en se tenant par la main, en portant des bidons à eau, ou bien quand ils sortent pour ramasser, dans ce qui fut un parc, quelque branche oubliée, pour faire du feu. Quand c'est calme, ils font juste quelques pas dans la rue. Depuis que l'hiver est venu, je ne les vois plus aussi souvent qu'auparavant. Puis, un jour, au retour de « la ligne », Kasim m'a dit en souriant : « Je me dépêche, Amra m'attend pour aller à Ilidža ! » J'ai cru mal entendre. Ilidža est entre « leurs » mains, c'est derrière la ligne magique où s'arrête Sarajevo libre. D'ailleurs, que feraient-ils à Ilidža, même s'ils pouvaient y aller ?

« C'est à vélo qu'on y va. Deux heures de course jusque là-bas et retour, on a le plaisir de bien voir Sarajevo, on rencontre beaucoup de gens, on écoute de la musique. On écoute les informations... » Kasim m'a dit tout cela d'un air complice, ravi de ma stupéfaction. Puis il m'a raconté toute la vérité :

« Avant, avant la guerre, Amra et moi, avec sa mère et le fils cadet, on avait l'habitude de partir le samedi ou le dimanche à Ilidža, en emportant les vélos sur la voiture : on faisait du vélo là-bas toute la journée. Une fois, juste avant la guerre, Amra m'a convaincu de faire les dix kilomètres jusqu'à Ilidža à vélo, nous deux seuls, car son frère était trop petit. Je ne sais pas, trois ou quatre semaines sont passées sans qu'on le fasse, puis la guerre est venue. Amra me l'a souvent reproché, de cette manière qui est particulière aux enfants. Le voyage à Ilidža à vélo est resté pour nous comme le symbole de la liberté, comme le jour où la paix sera revenue et où tout redeviendra comme avant. Nous avons juré l'un à l'autre de fêter la libération en allant à vélo à Ilidža.

« Mais nous sommes partis plus tôt que prévu. J'y vais en fait à chaque fois que je reviens de "la ligne". J'ai monté sur nos vélos un petit appareil, fait maison, qui donne de l'électricité quand on pédale. Mon vélo alimente la grande radio, celui de Amra son baladeur. Evidemment, on a du mal à se mettre d'accord sur qui écoutera quoi : elle "bouche" ses oreilles avec le casque et écoute de la musique, moi, comme tous les idiots de Sarajevo, j'écoute les informations du matin au soir, en attendant ce qui ne viendra jamais. En pédalant, Amra m'a dit un jour : "Ecoute, papa, on ne pourrait pas partir maintenant à Ilidža, comme on était convenus ? Voilà, imagine qu'on est sortis dans la rue, qu'on prend la rue de Njegoš..."

« C'est ce qu'on a fait. On est descendus par la rue de Njegoš, puis par la rue du Roi-Tomislav, rue de Tito vers Ilidža. Chaque fois, on commente ce qu'on voit. D'abord les trous d'obus sur la Présidence bosniaque, puis les nouvelles tombes près de la mosquée Ali-Pacha, les immeubles brûlés du gouvernement et de l'Assemblée, le Musée national, puis celui qui est derrière lui, le musée de la Révolution. Amra me demande toujours comment s'appelle désormais le musée de la Révolution, car le nouveau pouvoir n'aime pas la révolution d'avant. Ils ont enlevé les plaques avec les noms des héros de la Seconde Guerre. Donc, on va vers Ilidža. On est très émus à chaque fois qu'on voit des centaines de maisons détruites partout. On doit s'arrêter aux grands carrefours, car les feux sont réparés et les tramways roulent. Amra dit que c'est la Forpronu qui a réparé cela. Il n'y a pas beaucoup de voitures, donc on peut rouler sans difficulté. Du côté de la Télévision, on accélère jusqu'au bout, la radio parle plus fort, alors on ralentit, l'histoire tombe à l'eau.

« On a vu qu'il nous fallait plus de deux heures. De retour à la maison, on est épuisés et épanouis. A chaque nouveau voyage, on s'aperçoit qu'il y a des choses qui ont été réparées ou que les travaux commencent. Le fleuriste près de l'immeuble de la "Sécu" est ouvert, les barricades ont été enlevées sur le pont de la Fraternité et de l'Unité. La dernière fois, Amra a remarqué qu'ils installaient de nouveau le kiosque "Megi" à Marindvor, là où on achetait les meilleurs beignets de la ville. Là, il y a eu un problème : je lui ai promis qu'au retour on s'arrêterait chez Megi pour acheter des beignets... »

D'un air entendu, Kasim me montre un petit paquet sous le bras : « Ce sont deux beignets que Vojo, le cuisinier de notre unité, m'a fait "en ligne". Il s'est excusé car ils ne sont pas aussi bons que ceux de chez Megi avant la guerre, mais je suis sûr que pour Amra ce sera encore meilleur. L'essentiel c'est de ne pas la tromper. Il faudra s'arrêter chez Megi au retour d'Ilidža... »

Quand Kasim n'est pas « en ligne » et que je ne le vois pas avec Amra dans la rue, je sais qu'ils sont partis à Ilidža. Et c'est si bon d'imaginer où ils sont : rue de Tito ou déjà là-bas, plus loin, près d'*Oslobodjenje*.

Naïveté ou bêtise

« Ce 5 avril 1992, j'étais devant l'immeuble de l'Assemblée de Bosnie-Herzégovine, avec mon collègue Dubravko Brigić. Mon reportage parlait du début de la guerre, alors que j'en étais à peine conscient. Je voyais tout de mes propres yeux, la caméra enregistrait, les balles sifflaient par-dessus nos têtes. J'ai vu le premier sang versé, le début de la destruction. Les avions à réaction de l'ancienne Armée populaire yougoslave déchiraient le ciel. Sur le pont Vrbanja, derrière l'immeuble de l'Assemblée, Suada, une étudiante, a été tuée. Mais je voulais me convaincre que ce n'était pas la guerre, pas la guerre. Ce qui est encore plus incroyable, c'est ce que j'ai raconté dans le micro. J'ai dit que c'était la guerre, j'ai crié et juré, puis j'ai essayé de me persuader que ce n'était qu'un cauchemar, que le lendemain Sarajevo serait comme toujours.

« Bientôt, deux semaines plus tard, ma fille et mon petit-fils sont partis "pour quelques jours, le temps que le calme revienne". Cela fait deux ans, je ne les ai pas revus. Depuis plus d'un an, je ne leur ai pas parlé. Je suis infiniment heureux aujourd'hui, car je sais qu'ils sont sains et saufs.

Qu'est-ce que nous avions ce 5 avril et longtemps après, moi et tous les autres, pour ne pouvoir et ne vouloir voir ce qui était évident? Je ne sais pas si nous étions naïfs ou bêtes. Les deux, peut-être. Ce n'est qu'après le terrible massacre devant la boulangerie que mes yeux ont commencé à s'ouvrir. »

Mladen Paunović, journaliste à la télévision de Sarajevo, est un représentant typique de l'esprit sarajévien, de ce qui est peut-être « bêtise » et obstination sarajévienne. D'un grand sérieux quand il parle de l'héroïsme des autres, toujours souriant quand il parle de lui-même. Sur sa première blessure à la jambe, d'une balle de *sniper* qu'il reçut, en juillet 1992 alors qu'il se rendait à la télévision, il a raconté des blagues. « Ça aussi, c'était naïf », dit-il. Mais ce n'était pas naïf du tout. Au début de 1993, quand un éclat d'obus l'a blessé à l'épaule gauche, il rigolait moins. « Cela m'a permis de devenir un peu plus lucide », dit-il. A l'hôpital, il a connu des dizaines de garçons et de filles qui étaient partis défendre la ville pendant les premiers jours du chaos. Ils n'avaient emporté que leurs idéaux, ils se sont retrouvés sans rien. Ils ne nourrissent aucune haine, alors qu'ils ne courront plus jamais, et que certains ne pourront même pas marcher.

« Mes premières larmes, dans la guerre, c'était à la sortie de l'hôpital. Dans la neige, je descendais la pente pas à pas. Mon bras était immobilisé. J'ai vu quatre vieillards s'écarter de mon chemin. L'un d'eux s'est légèrement incliné : "Mes hommages !" Ce même jour, à Pofalići, près de l'usine de tabac, j'ai vu un homme touché par une balle de *sniper* : de temps à autre il relevait la tête ; d'un regard désespéré qui s'éteignait, il semblait appeler au secours. Personne n'osait l'approcher, car le *sniper* contrôlait tout le rayon autour de la victime. Soudain, une Audi 80 noire, bien amochée, surgit de nulle part, s'arrête dans un crissement de pneux à côté du blessé, deux bras le tirent dans la voiture et le conducteur repart pied au plancher. Elle glisse derrière les premiers immeubles, où elle est à l'abri, puis elle continue vers l'hôpital. Tous ceux qui ont assisté à la scène ont su que c'était Mile Plakalović, chauffeur de taxi. Depuis le début de la guerre, il sauve des Sarajéviens inconnus. Il leur apporte de la nourriture à l'hôpital, s'occupe d'eux. "Mile le Serbe" travaille contre les "prétendus Serbes des collines", comme il les a appelés lui-même. Ce jour-là, j'ai pleuré deux fois. Je ne le regrette pas. Je ne suis nullement un héros. Je ne suis peut-être pas un lâche, mais je ne suis pas courageux non plus. Ici, dans ce chaos, il ne s'agit pas de courage mais d'éthique, d'honnêteté. C'est pourquoi je suis resté et je resterai jusqu'au bout. Que partent ceux qui le veulent. Les vrais Sarajéviens resteront. Sarajevo, ce sont les gens, et il n'en manquera jamais.

« Et toi, quand est-ce que tu reviens ? N'est-ce pas que tu ne resteras pas longtemps dehors ? Reviens, mon vieux, tu vois que la vie redeviendra belle ici... »

Je l'ai laissé chez Ašo, à « Indi ». Il buvait un cognac fait maison et riait avec Ašo comme dans le bon vieux temps. Sous le bras, il serrait un paquet de café et quelques morceaux de sucre. Une vieille femme le lui a donné dans la rue, comme ça. « Vas-y, prends, mon fils, c'est de la part de mon Sejo... »

Fontaine

« Je n'arrive pas à oublier cette fontaine, même pas maintenant, dans la guerre. Comme ce serait beau d'en faire construire une comme celle-ci devant la cathédrale de Sarajevo ! Ici et nulle part ailleurs. Pourquoi ? Je n'en sais rien. Tout a commencé il y a longtemps, quand j'étais à Rome et que j'ai vu une magnifique fontaine sur une place. Elle avait des lampes dans l'eau, la nuit les jets d'eau chatoyaient de neuf couleurs différentes. Les figures d'eau que produisait une pompe, une machine, que sais-je ? étaient comme celles d'un rêve. Le soir, je venais devant cette fontaine, je fumais en silence et je l'admirais. Parfois, je restais pendant des heures à la regarder. Voilà, c'est comme ça que j'ai décidé de faire une fontaine pareille dans ma Sarajevo, devant la cathédrale. Les autorités religieuses m'ont donné l'autorisation, mais pas la municipalité. Qui sait pourquoi. Je leur ai tout dit, que j'irais à Rome trouver l'architecte, que je l'amènerais à Sarajevo et que je paierais pour qu'il fasse tout ce qu'il faut. Ils ne voulaient pas en entendre parler. Plus tard, ils m'ont demandé de l'argent pour un point d'eau près de la mairie, à côté d'une nouvelle station d'essence. "Tu voulais payer la fontaine, ont-ils dit, voilà, nous avons des plans pour ce point d'eau, finance maintenant. — Qu'est-ce que j'en ai à faire de votre point d'eau ? Je veux une fontaine, comme à Rome, devant la cathédrale. » Et tu sais, je l'aurai, c'est sûr, aucun doute là-dessus. Peu importe combien cela coûte. C'est mon rêve, et plus la guerre dure, plus il devient grand et important. »

Abdullah Hrasnica, homme d'affaires.

La réunion

Près d'un an après le début de la guerre, j'ai croisé dans la rue Babo Tanović, cinéaste, homme de lettres, intellectuel, connu dans la ville pour sa gourmandise et son bon appétit; des amis le considéraient comme l'un des plus grands amateurs de viande et de tout ce qu'on peut préparer avec de la viande. Alors que tous à Sarajevo avaient considérablement maigri, Babo était comme dans ses meilleures années.

— Tu as l'air superbe, Babo. C'est incroyable! Tu dois avoir pas mal d'argent pour acheter la viande à quatre-vingts marks le kilo.

— Exact, je ne manque de rien. J'ai tout ce que je souhaite...

— Tu plaisantes?

— Oui, c'est ça. En fait, ce n'est pas tout à fait vrai, mais à peu près. Tu sais, j'ai vite compris — c'était vers le 1er mai 1992 — ce qui allait se produire. On ne me croyait pas, mais moi je savais. Alors, j'ai décidé de tenir une réunion avec moi-même. Je lui ai dit, à Babo : "Ecoute-moi, Babo. Nous voici dans de beaux draps tous les deux. Pas d'argent, pas de viande, pas de fromage, pas de vin. Rien, point final. On peut désespérer, dramatiser, paniquer devant la casserole vide, devant les poches vides, cela ne servira à rien. — Qu'est-ce qu'on va faire, alors ? demande-t-il. — On peut faire semblant que tout est normal, être satisfaits de ce que nous avons, jouir d'un morceau de pain comme si c'était un morceau de bifteck succulent. »

« C'est ce qu'on a fait. Nous avons décidé qu'il fallait lever la tête et jouir de ce que nous avions. Crois-moi, je prends vraiment plaisir à tout. C'est pourquoi je n'ai pas maigri. C'est normal, puisque j'ai tout. S'il le faut, j'ai de la viande, du fromage, du vin... L'accord entre "nous deux" était de continuer ainsi jusqu'au 1er mai prochain.

— C'était il y a longtemps !

— Oui, mais on a tenu une nouvelle réunion, je veux dire lui et moi, Babo Tanović, et on a décidé de continuer avec ce système jusqu'au 1er mai suivant.

— Et puis ? Encore jusqu'au 1er mai suivant ?

— Ou jusqu'à ce que « l'autre » viande, celle d'avant guerre, revienne sur la table. Ou que l'un de nous deux cède. Ou qu'à Dieu ne plaise il nous arrive autre chose, à lui ou à moi.

Mourir à Sarajevo

Deux ans avant la guerre, on sortait de la première du film de Bato Čengić, *Gluvi barut* (*la poudre sourde*), donnée au cinéma Dubrovnik. Je me souviens nettement de notre malaise. Jamais auparavant on n'avait si bien identifié notre mal, tapi dans les hommes qui se repliaient en troupeaux dans les collines comme des animaux, et qui collaient des étiquettes idéologiques aux instincts les plus bas. Avant Bato, personne n'avait si bien cerné les insignes sur des couvre-chefs, ni laissé deviner l'issue finale de cette mythomanie. *La Poudre sourde* a été tourné dans un village à quarante kilomètres de Sarajevo ; nous croyions que c'était à quarante années lumière de nous. Nous étions naïfs, nous étions comme des enfants, aveugles à ce que voyait la caméra. C'est à cause de notre bêtise et de notre naïveté que nous voici là où nous en sommes, sans nos enfants et sans avenir pour eux. Tant pis pour nous.

Bato Čengić, cet homme qui a traversé la vie — personnelle et professionnelle — la tête haute, est resté à Sarajevo. Il est resté, déchiré entre ce qu'il a su avant nous et ce qui se produit aujourd'hui. Il nous a montré ce qui allait arriver, dans *La Poudre sourde*, ainsi que dans *Les Petits Soldats* et dans *Le rôle de ma famille dans la révolution socialiste* trente ans auparavant. Il a vieilli, ses cheveux sont blancs. Il vit dans une maison en bordure de la ville, à distance égale entre deux collines où se trouvent l'ancienne maternité et l'ancien cimetière. Il mesure, inquiet, la puissance de sa batterie, jalousement économisée pour entendre le premier, le deuxième, le septième, le huitième et le cinquantième journal sur notre réalité présente et future. Alors qu'il sait, qu'il savait.

Au début, il ne voulait pas le reconnaître, aujourd'hui, il est de plus en plus hanté par le sentiment de culpabilité pour tout ce qu'il aurait pu faire et qu'il n'a pas fait, comme il le dit, pour sa petite fille Lana et pour son fils Mak, le « Perroquet », comme il l'a toujours tendrement appelé. Inconsciemment peut-être, Bato est entré dans leur monde, il s'est approprié leurs pensées, leurs sentiments, leurs espoirs, leurs peurs et leurs joies. Les adultes ont fait que leur regard reste cloué dans cette vallée entre la maternité et le cimetière, couverts de fougères et de mauvaises herbes. Cette histoire de Bato, racontée par leurs pensées, c'est celle-ci... Si elle existait, elle s'appellerait *Mourir à Sarajevo*.

« Depuis ma première enfance, on m'appelle Perroquet. A chaque fois que les invités viennent, quand ils me caressent les cheveux ainsi qu'à ma sœur qui louche et quand ils nous pincent la joue, ils nous demandent comment nous allons. Pendant qu'ils s'enfoncent dans les fauteuils en cuir, je leur réponds que la grande maison cygne sur la colline est l'endroit où moi et ma soeur sommes nés. Je sais que les adultes l'appellent « maternité ». Pendant que nos mères prononcent ce mot avec beaucoup d'importance, moi et ma sœur nous nous regardons longtemps à la dérobée en rigolant et nous attendons. Nous savons qu'ils vont parler des cigognes qui apportent des enfants... Ma sœur pouffe de rire, car nous savons depuis longtemps comment nous sommes nés. C'est la fin de mon histoire de perroquet sur la maternité, liée à la grande fenêtre d'où on voit la maison blanche comme si c'était une nature morte. C'est ainsi que le dit mon père.

« De l'autre côté du séjour nous avons une autre grande fenêtre qui donne sur le balcon et sur le cimetière plein de hauts cyprès et de sveltes bouleaux. Souvent, pendant notre déjeuner, une triste musique flotte jusqu'à nous, jouée par les membres mal rasés de l'orchestre funéraire, qui marchent d'un pas inégal. Vous devez le savoir, derrière eux marchent habituellement les gens en noir qui pleurent leurs proches. Puis, on entend leurs phrases, comment le défunt était bon et gentil et tous les mensonges que peuvent faire les adultes. A ce moment, mon père, habituellement calme mais maintenant énervé, referme la double fenêtre et c'est le silence de mort. Même à travers ces fenêtres fermées, nous entendons parfois le peloton militaire ! Ma sœur et moi savons alors qu'un héros est mort. Quand les invités viennent et quand ils nous caressent la tête en demandant ce qu'il y a de nouveau, je leur dis comme un perroquet : "Ils ont encore tiré hier, car un héros est mort." Puis ils se mettent à parler de choses que nous ne comprenons pas : de la guerre !

« C'est ainsi que nous avons grandi, ma jolie petite sœur qui louche et moi, sans comprendre tout ce que racontaient les adultes.

« Et maintenant ? Qu'est-ce que nous ne comprenons pas ? Pourquoi ceux des collines ont-ils détruit avec des obus notre lieu de naissance ? C'est désormais une maison vide sans vitres aux fenêtres, sans toit qui a brûlé et sans médecins ni adultes avec des fleurs à la main, sans nous, enfants, qui crions... Aujourd'hui, c'est une maternité des canards laide et complètement détruite. De l'autre côté, il n'y a plus de cimetière. Depuis longtemps, on n'enterre plus personne ici. Ni les enfants ni les adultes. Parce que les *snipers* des collines tirent sur les cortèges. J'ai vu de notre balcon comment les adultes se cachaient en panique derrière les monuments aux morts en marbre, comment ils se cachaient, fous, derrière les anges en pierre volants et derrière les figures humaines, pour sauver leur tête de la balle. C'est pour cela que le cimetière est mort. Il n'y a plus de musique. C'est devenu un grand parc couvert d'herbe et de fleurs chétives où on ne voit plus depuis longtemps les monuments aux morts. Aujourd'hui, les anges flottent au-dessus de l'herbe haute et ils pleurent. Aucun adulte ne rentre plus dans ce cimetière mort, car ces soldats des collines tirent tout de suite. Je veux dire aussi qu'il n'y a plus ni cyprès ni bouleaux dans le cimetière car la nuit les adultes les ont coupés, un hiver, quand ils avaient déjà brûlé tous les meubles de leurs maisons.

« C'est ainsi que ma petite sœur et moi grandissons dans la guerre.

« Hier c'était mon anniversaire. Il n'y avait ni gâteaux ni bougies. Ma mère pleure de plus en plus souvent et elle dit : "Pauvres enfants, cela fait longtemps qu'ils n'ont rien à manger. Ils ressemblent aux squelettes ambulants de la leçon d'anatomie." Ma mère sait comment sont les squelettes, elle est médecin. Mais copains éclatent de rire quand ils entendent "squelettes" !

« A la fin de l'anniversaire c'était la grande joie. On a vu un long-métrage pour enfants.

« Je pense que son titre était : *Mourir à Madrid* ! »

Les enfants de Bato ne sont pas avec lui. Ils sont partis avec leur mère quelques mois après le début de la guerre. Ils croyaient qu'ils allaient rester ensemble jusqu'au bout, advienne que pourra. Mais, une nuit, une terrible nuit, Perroquet a fait pipi dans son lit. De peur. Ils sont partis, Bato est resté seul en imaginant sans arrêt ce que pensent Lana et Perroquet. Il a commencé à penser à leur manière. Comme un enfant, en dépit de toutes ces informations affreuses, ennuyeuses, cyniques, mensongères, idiotes, tôt le matin, tard le matin, en fin de matinée, à midi, au début de l'après-midi... Qui ne sont nullement enfantines.

Enjoy la prison

Bojan et Dada Hadžihalilović sont le duo qui reste du « Trio », un groupe de *designers* qui a rapproché Sarajevo des centres mondiaux du *design* original, avant et notamment pendant la guerre. Le troisième membre du trio, Lejla, a réussi à sortir de Sarajevo pour rejoindre son mari en Suisse. Les copains ont vivement souhaité à Bojan et à Dada un bébé pour reconstituer le « trio ». Ce couple, né dans la guerre, a continué à travailler à Sarajevo, préoccupé par l'idée qui hante les nuits et les jours de chaque Sarajévien : rester ou partir ? C'est cela, la reine des histoires à Sarajevo.

« Fin février 1993, nous avons décidé pour la première — et dernière — fois de partir en "voyage d'affaires", comme le faisaient d'autres à Sarajevo. C'était la nuit, nous avons couru, rampé, roulé sur la piste de l'aéroport qui était formellement sous le contrôle des Nations unies, et réellement contrôlée par l'armée serbe. Morts de peur, nous sommes arrivés aux premiers fils de la barrière de l'aéroport tôt, vers six heures du soir. A un kilomètre ou deux, de l'autre côté de la piste, commençait le chemin dans la colline qui menait vers le sud ou vers le nord de la Bosnie, à nous de choisir. De notre côté de la barrière, on nous a mis dans la main des petits cartons bleus, découpés en zigzag et portant un chiffre, et on nous a montré le fil devant en disant : “Allez-y, c’est là-bas...”

« Nous n’avions pas la moindre idée de l’endroit où nous étions, où nous allions, où nous sortirions, ça tonnait cette nuit-là de tous les côtés : des obus, des mitraillettes, un véritable feu d’artifice. Cinq fois nous avons essayé de partir, cinq fois les Forpronu nous ont retenus. Vers trois heures du matin, nous avons abandonné. Complètement transis de froid, amers, épuisés, morts de peur, nous sommes rentrés à la maison. Pendant un an, nous avons ri de notre entreprise. Des milliers de femmes avec enfants, des vieux, des vaches et des moutons ont traversé la piste, seuls Dada et Bojan n’ont pas réussi. Peu importe. Cet échec — qui nous a fait intimement plaisir — nous a forcés à chercher une autre solution. Il fallait trouver un moyen pour se faire connaître à l’extérieur, puisque nous n’étions pas capables de sortir physiquement.

« On n’arrêtait pas de retourner dans nos têtes cette fameuse phrase dite par des gens qui étaient partis et d’après qui il était plus important de faire quelque chose pour Sarajevo de l’extérieur que de rester ici. Nous avons fait des affiches qu’on diffusait dans la ville par fax quand il y avait de l’électricité. Puis la bonne idée est née : on fabriquera des cartes postales où on pourra se moquer des Forpronu, des journalistes et des *tchetniks*, de tous... C’est artistique, c’est petit, cela peut sortir tandis que nous restons sur place.

« Les cartes ont été lancées. On ne peut pas dire que cela ne marchait pas, qu’on ne s’y intéressait pas, mais le ver de la sortie nous rongeait toujours. Enfin, nous avons pigé comment faire. L’une de premières de nos cartes était celle avec “Enjoy Sarajevo”, copiée d’après le truc classique “Enjoy Coca-Cola”. Tout était pareil, la couleur, les lettres, leur fameuse ligne, etc. Coca-Cola pouvait porter plainte pour plagiat, ce serait sérieux. Les copains à qui on l’a raconté éclataient de rire : “On s’en fiche, que peuvent-ils faire, qu’ils viennent à Sarajevo pour vous arrêter !” Evidemment, c’était ça le but de l’opération. Imaginons que Coca-Cola obtienne un ou deux millions de dollars au tribunal. Nous sommes fauchés, impossible de payer. Le tribunal décide alors la réclusion à perpétuité, ou disons vingt ans de prison. On envoie notre adresse aux flics américains, avec l’itinéraire précis entre l’aéroport et chez nous — car c’est trop dangereux, il ne faut pas que les *snipers* les zigouillent — puis, ils viennent nous arrêter, en Reeboks, avec des menottes, etc. Les copains seraient verts de jalousie. Puisqu’on dit que les Etats-Unis sont un pays démocratique, ils nous mettront dans une prison californienne où on aura tout ce qu’il nous faut pour travailler : l’électricité, deux ordinateurs et une imprimante. On a tout le reste, il n’y aura aucun problème à cause de l’enfermement ou bien la nostalgie de la maison. Cela fait deux ans qu’on est en prison et qu’on change de lit car on déménage en fonction de l’électricité. Nous sommes ici depuis six mois, nous dormons sur des tables dans des sacs de couchage, toute prison « démocratique » doit être plus confortable, aucun doute là-dessus. Hé, tu imagines tout ce qu’on pourrait faire si on avait cette paix et cette électricité ? Nourriture trois fois par jour, promenade dans la cour, sans *snipers*. La plainte de Coca-Cola serait un vrai Disneyland pour nous. Hélas ! il y a un problème. Il paraît que les hommes et les femmes sont séparés dans les prisons américaines. Nous, on ne veut pas être séparés. Si on l’avait voulu, on aurait déjà pu le faire. C’est pouquoi il nous faudra trouver quelque chose pour qu'ils ne nous séparent pas. Nous trouverons, nous connaissant... »

Une photo pour des copains

« L'été dernier, entre deux bombardements, nous nous sommes étalés comme des lézards sur la terrasse d'un café, au soleil. Tous fauchés, on avait à peine de quoi s'acheter une bouteille de cette bière amère, dégueulasse. Puis on s'est mis à blaguer, comme aux temps heureux. Et voilà que s'amène Mišo de la télé. Salut Mišo ! Il s'est teint les cheveux, la caméra sur l'épaule, il se balade à vélo et filme. Il approche, dirige la caméra vers nous. Les mecs, comme toujours : "Mišo, ça va les cheveux ? Mišo, où sont les petites du tennis ? C'est pour quand, le nouveau cours... ?" Lui filme, sans s'arrêter. L'un des nôtres demande : "Mišo, pour qui filmes-tu cela ? — Pour des copains qui sont maintenant en Suède, pour qu'ils nous voient, qu'ils voient comment ça va ici. — Que veux-tu qu'ils voient ? Nous voici, presque comme en vie... Qu'en dis-tu ?" »

Mario Kopić, économiste, 33 ans.

Entre les deux rives

Ce fut absolument incroyable, invraisemblable et cruel de briser l'arc-en-ciel séculaire au-dessus de la Neretva, de détruire ce Vieux Pont de Mostar, qui fut tellement plus qu'un simple passage vers l'autre rive. Quand je l'ai appris, je me suis rappelé Afan Ramić, peintre de Sarajevo, le plus Mostarien des peintres qui vivent et travaillent ailleurs. Après avoir perdu son fils unique, Afan a perdu dans la guerre le Vieux Pont. Peut-on imaginer plus grande perte ?

Il m'est souvent apparu que l'Herzégovine aride n'existait que pour Afan, pour ses tableaux où chaque odeur et chaque couleur courent vers le Sud. Je pensais même que la superbe Neretva, mystérieusement, ne coulait que pour ce pont et pour les tableaux d'Afan. Après cette atroce nouvelle — à laquelle ne croit toujours aucun Mostarien de Mostar ni aucun Mostarien d'ailleurs —, il m'a semblé que Afan ne pourrait pas survivre à ce second coup. Mais c'était oublier sa persévérance qui devance toujours les tragédies qui l'accablent. Le jour où son fils — membre d'une brigade de jeunes de vingt ans — fut sacrifié aux chars dans la périphérie de Sarajevo, c'est avec son pinceau que Afan a réagi. Il a préparé une exposition comme Sarajevo n'en avait pas vue depuis le début de la guerre. Lorsque l'arc-en-ciel de Mostar est tombé dans les flots de la Neretva, Afan s'est tourné vers ses toiles, en devinant l'immortalité du lien entre les deux rives qui ne pourront pas rester séparées. Cette fois-ci, il a fait plus que ce que permettent la palette et le pinceau. Il a dit aux Mostariens, réunis à Sarajevo lors du dernier salut à leur pont :

« Quand nous nous rendrons à Mostar, que pourrons-nous dire à cette ville sans pont, aux amis à qui on a si cruellement volé leur emblème, au fleuve qui n'a plus de toit au-dessus de sa tête ? Le silence planera à l'endroit du Vieux Pont, là où se trouvait cet arc-en-ciel élégant qui fut le symbole de l'architecture orientale dans nos régions, mais qui était aussi le synonyme de cette ville sur la Neretva émeraude. Aujourd'hui, le fleuve coule sous rien, il coule vers son delta à travers un trou noir et s'en va vers le néant...

« Un prix Nobel, un Occidental, a dit poétiquement : “La pensée naît dans l'Orient de la conscience.” A mes yeux, ce bijou d'architecture a toujours été une métaphore arrêtée dont le destin voulait qu'elle parte d'Orient et qu'elle achève son beau chemin ici, précisément à cet endroit, dans les parois de ce canyon, exactement sur ce fleuve et dans cette région. Difficile d'imaginer un autre lieu, une autre rivière ou un autre sens pour l'imagination poétique. En effet, que signifierait-elle, quel serait son message, pourquoi existerait-elle là où n'est pas sa place ?

« En plus de sa beauté architecturale, le pont de Mostar véhiculait non seulement l'idée du lien entre les deux rives, mais celle du lien entre deux cultures qui se répondent et qui se touchent à l'endroit précis qui symbolise le lien séculaire et l'interpénétration des cultures de l'Orient et de l'Occident. Ces deux cultures justifient la dignité des peuples dont la Bosnie-Herzégovine est la seule et commune patrie. On comprendra alors l'étonnement devant ce crime aux dimensions bibliques dans un paysage héroïque, devant la destruction d'un édifice, d'un pont, qui est en soi le lien entre tout ce qui se trouve sur les deux rives. Que penser lorsque tout cela vient des peuples qui ont vécu pendant des siècles comme des frères, qui constituent une même civilisation, une même culture, une même famille ?

« Un écrivain arabe du XIIIe siècle a noté une merveilleuse pensée liée à d'autres espaces : « Toute chose au monde redoute le temps, tandis qu'en Egypte le temps redoute les pyramides... » A cause du caractère passager et éphémère de la vie humaine, les pyramides ont été érigées pour durer éternellement. J'ai toujours ressenti que la beauté de la métaphore en pierre du Vieux Pont, à cause de sa perfection architecturale, vivra éternellement. Et c'est vrai ! Il est facile de tirer sur le poète, sur le constructeur. Il est facile de tirer sur la métaphore. Mais la pensée créatrice, qu'elle vienne de l'est ou de l'ouest, du nord ou du sud, ne peut être anéantie. Ce tir sur le Vieux Pont, c'est un obus tiré au cœur de l'Herzégovine, au cœur de Mostar, au cœur de notre héritage oriental, de notre enfance à Mostar. Hélas ! c'est aussi une attaque contre la culture de ceux mêmes qui ont décidé de tuer une métaphore. La pensée restera, car elle est gravée dans l'éternité. »

Afan Ramić, cet homme de Sarajevo, de Mostar, de Počitelj, de Mljet, de tous nos espaces passés et présents, a répondu au tir sur la métaphore par une nouvelle et magnifique exposition. Elle a été magnifique par les sentiments inscrits dans ses tableaux et par ceux du public qui les a vus. Sa traversée de la Neretva n'a pu être arrêtée par l'effondrement des articulations du pont. Afan saura toujours passer de l'autre côté, en marchant sur le reflet du pont, qui ondulera à jamais dans la Neretva. Les obus et la dynamite n'y peuvent rien. Le seul problème, c'est que les dynamiteurs l'ignorent.

Ma sœur et les autres

« C'est un homme honnête, ce Marko Vešović, il n'y a rien à dire. Il ne perdra pas la face, celui-là. Je lui donnerais ma dernière bouchée de pain, tout... » disait, en attendant dans la queue ses deux cent soixante-dix grammes de pain quotidien, une femme courbée par le malheur. Elle lisait, dans *Oslobodjenje*, deux jours après le massacre de Markale, le texte de Marko Vešović dédié à certains de ses anciens collègues, professeurs à la faculté de lettres de Sarajevo. Depuis déjà deux ans, ils sont « en haut », à Pale, « où ils se sont spécialisés dans les égorgements à distance, par obus », comme le dit Vešović.

A Sarajevo, tous parlent bien de Marko, homme de lettres et professeur universitaire, ce Monténégrin qui s'est familiarisé avec la Miljacka [rivière de Sarajevo] et avec des gens ici. Il n'a pas cherché à gagner des sympathies du jour au lendemain, brusquement. Il a toujours dit la même chose, quand on l'a proposé pour être membre de la Présidence de Bosnie-Herzégovine — il a éconduit les politiciens de la manière la plus gentille qui soit —, quand il s'adressait au « peuple » et quand il polémiquait avec les corrompus. Ce voisin calme, digne, la chevelure noire bouclée et ébouriffée, bon comme le pain, dont la langue est telle que tous les écrivains aimeraient l'avoir,

Portraits de Sarajevo

Marko Vešović a écrit dans *Oslobodjenje*, le 30 mai 1992, un mois et demi après les premiers tirs à Sarajevo :

« Hier était le jour le plus triste de tous ces cinquante jours de siège de Sarajevo, du moins pour moi. Ma sœur m'a téléphoné de Monténégro pour m'attaquer parce que, paraît-il, je me suis montré hostile au tyran de Durmitor [massif montagneux au Monténégro], Radovan Karadžić. Au lieu de me demander : "Frère, avez-vous du pain ?" elle m'a décrit en détail, comme si j'étais aveugle, ce qui se passe véritablement à Sarajevo. Au lieu de me demander : "Jusqu'à quand êtes-vous restés hier soir dans la cave ? Ton ulcère à l'estomac te fait-il mal à cause des obus du général Mladić ?", elle s'est exclamée : "Le monde entier est contre les Serbes. On lui réglera son compte !"

« J'écoutais pétrifié. Je voulais lui dire : "Ma pauvre, je suis ton frère. Qui sont Karadžić et Milošević ?" Mais je ne pouvais pas sortir un mot. J'étais interdit.

« En raccrochant, je me suis dit : "Voilà ce que les courtisans de Milošević, à la télévision, à la radio et dans les journaux, ont fait des gens. Depuis deux ans, systématiquement et tous les jours, on lave le cerveau du peuple. Le résultat : une sœur, pratiquement analphabète et enragée, apprend à son frère, homme de lettres, ce qu'il dira et écrira." Est-ce alors étonnant que tous les jours affluent en Bosnie de nouvelles hordes de volontaires de Serbie et de Monténégro ? C'est normal, puisque, comme nous l'apprend Milošević, on égorge ici jusqu'à la dernière âme serbe. Ici, le peuple serbe lutte pour sa survie. Ce qui est curieux c'est que, dans cette lutte, il a écrasé les villes bosniaques ; en défendant ses foyers séculaires, il a conquis soixante-dix pour cent du territoire de cet Etat. Pour nous sauver du danger imaginaire, nous avons ouvert une dizaine de camps de concentration destinés aux musulmans disséminés en Bosnie.

« Le poison que Milošević a versé dans la tête du peuple orthodoxe est tel qu'on ne le chassera pas sans baguette magique. Or la dose est suffisante pour nous entraîner tous dans le suicide.

« En effet, que le monde entier soit contre Milošević, ce n'est pas une preuve contre le bourreau de Dedinje [quartier résidentiel de Belgrade]. Tout au contraire : si tous le haïssent, c'est une raison valable pour mourir tous sous sa bannière. Seigneur, aie pitié de nous !

« Bref, d'un côté les bons et honnêtes Serbes, de l'autre le monde vicieux. S'il ne nous laisse pas en paix bombarder les maternités, à qui nous en prendre ? Encore le téléphone qui sonne. Un ami de Belgrade veut savoir ce que le destructeur de Sarajevo, le général Mladić, a fait de nouveau. Il me dit : “N'as-tu vraiment aucune possibilité de t'enfuir à Belgrade ?” Je lui réponds : « Tant que règne dans la capitale le fasciste de Trifouilly-les-Oies, je ne peux venir à Belgrade que d'une seule façon : sur un tank. »

Deux ans après cette lettre, Marko Vešović est toujours à Sarajevo. La possibilité d'aller à Belgrade, d'une manière ou d'une autre, ne s'est pas offerte. Le monde protège son chouchou, Slobodan Milošević, ainsi que ses fidèles de Durmitor et de Pale. Plus personne ne téléphone à Marko, les lignes sont coupées depuis longtemps. Ceux qui ont des choses à lui dire lui parlent directement, dans les rues de Sarajevo. Entre amis, comme cela sied aux honnêtes gens. C'est peut-être le mieux et le plus beau, pour Marko et certainement pour les Sarajéviens.

Un homme simple et grand

Le général de brigade de l'armée de Bosnie-Herzégovine, Jovan Divjak, Jovo pour ses proches et amis, était, avant la guerre, colonel de l'Armée populaire yougoslave. Serbe de naissance, Belgradois, commandant en second de l'armée de Bosnie-Herzégovine, c'est l'homme que beaucoup considèrent comme le soldat le plus populaire de Sarajevo. Bien sûr, ce jugement peut être contesté, et il l'a été, surtout depuis que l'on dit aujourd'hui à Sarajevo : « Un bon Serbe est un Serbe mort. » Cela ne pose aucun problème à Jovo Divjak. D'ailleurs, il a l'habitude de dire : « Je voulais être Bosniaque, mais ils ne voulaient pas. » A Sarajevo, on sait que, du côté de Karadžić et de Mladić, on n'a jamais pu supporter Divjak dans les délégations de l'armée bosniaque, au cours des différentes négociations qui se sont déroulées dans le quartier de l'aéroport de Sarajevo. Divjak infirmait leur thèse selon laquelle la vie commune n'a pas été possible dans le passé et ne le sera pas plus à l'avenir.

Cet homme a toujours invalidé les idées les plus répandues : qu'un soldat doit être rigide et ne doit pas s'intéresser à l'art et à la culture, qu'un soldat tient beaucoup aux grades et aux fonctions, qu'il aime la hiérarchie et la discipline de fer... Pour répondre à la proposition de son « collègue » de l'armée fédérale, le général serbe Gvero, qui avait demandé que Divjak se convertisse à l'islam, celui-ci lui a répliqué : « Tout à fait, aucun problème, je le ferai quand le général Gvero descendra de l'arbre et adoptera la position debout. » Peu de temps après, un officier britannique dans les unités de « casques bleus », sérieux à mourir comme le sont généralement les officiers britanniques, a dit au général Divjak : « Mon général, je tiens à vous informer qu'il a été établi avec certitude ces derniers jours que le général Gvero mangeait des bananes... » Cependant, Jovo Divjak a répondu à mi-voix : « Ce que Gvero m'a dit et ce que je lui ai répondu, c'est notre affaire. Je remercie le Britannique de vouloir nous montrer qu'il est de notre côté, mais qu'il ne se mêle pas de cela. »

Ce sont les soldats des premières lignes de défense de Sarajevo qui connaissent le mieux Jovo Divjak. Il est parmi eux pratiquement toutes les nuits. Puis viennent les comédiens des théâtres de Sarajevo, peintres, poètes et musiciens. Et les journalistes, évidemment. Ce général sans escorte, sans chauffeur, qui est prêt à démontrer aux journalistes qui entretiennent leur forme qu'il peut faire le poirier plus longtemps qu'eux, celui qui conserve dans son cabinet des dessins d'enfants et des lettres de civils et de soldats inconnus, donne une réponse précise à la question : « Pourquoi êtes-vous dans l'armée bosniaque avec vos fils Želimir et Vladimir ? »

« Y a-t-il quelque chose de plus naturel pour un homme qui a passé ses meilleures années à Mostar, sur la Neretva, à Sarajevo et en Bosnie ? Et vous, pourquoi êtes-vous restés ? »

Sarajevo se souvient de lui grâce à ces fameuses images télévisées tournées le 3 mai 1992 quand la « vraie » guerre a commencé en Bosnie-Herzégovine. Ce jour-là, le président bosniaque Alija Izetbegović, après avoir été « retenu » dans la caserne de l'ex-armée yougoslave, près du quartier de l'aéroport, devait être échangé contre le général Kukanjac et ses collaborateurs à Sarajevo. Le commandement de l'armée fédérale quittait à ce moment la capitale bosniaque et lançait la guerre. Divjak est monté le premier sur le blindé où se trouvaient Izetbegović et Kukanjac et il a demandé au président : « Monsieur le président, est-ce que vous allez bien, est-ce que tout va bien, vous ont-ils maltraité ? » C'est également Divjak qui a orienté à cette époque une opération rue Dobrovoljačka (rue des Volontaires), qui restera dans l'histoire de la Bosnie-Herzégovine comme particulièrement importante. Dans l'uniforme qu'il avait porté pendant des décennies, Divjak s'est mis ce jour-là du côté du peuple sans armes. Il savait pourquoi. Quant à ce qu'en pensaient les autres, cela ne l'a pas beaucoup préoccupé. Les soldats avec qui il partageait ses dernières cigarettes, à qui il donnait ses jumelles, ses gants quand il n'y en avait pas, eux savaient à qui ils avaient affaire. Quand le grand jeu contre le général a commencé, à l'époque où on pouvait perdre sa tête à ce genre de jeu, quand on l'a arrêté en Herzégovine au nom « de sa propre sécurité », je connais des soldats qui disaient : « Peu importe ce qu'on prépare contre lui, nous savons qui il est et comment il est, nous l'en sortirons ».

De retour à Sarajevo, il avait l'habitude de dire aux gens qui l'embrassaient dans les rues : « Pourquoi cette excitation ? Comme si vous aviez peur de ce qui allait m'arriver et que vous étiez heureux maintenant : cela veut dire que vous doutiez de moi. » Parmi les pages du journal qu'il écrivait pendant sa « détention préventive pour des raisons de sécurité » et qui lui ont été pratiquement volées, le général Jovo Divjak a écrit, entre autres : « Le président est venu à l'endroit où je me trouvais, près de Buturović Polje. Je ne sais pas si j'espérais qu'il viendrait me voir ou non. Plutôt non. Cependant, le président se souvenait-il de la rue Dobrovoljačka et de mon escalade du blindé : "Comment allez-vous, monsieur le président ?" Merci, je vais bien. Seulement, je ne sais pas comment vont ma femme Vera, mes fils Želimir et Vladimir, mes chers amis qui sont aussi importants que ma vie. Comment vont-ils ? »

A ces amis chers ainsi qu'aux nombreux autres, Jovo Divjak, colonel à l'époque et aujourd'hui général, a écrit une lettre dans *Oslobodjenje*, le 20 décembre 1992 :

« Chers amis sarajéviens... Depuis le 6 avril 1992, certains ont été gênés de voir — et n'ont pas compris — que moi, Jovan Divjak, j'aie rejoint les rangs des combattants pour la liberté, l'intégrité territoriale et l'unité de la république de Bosnie-Herzégovine. Au cours de ces neuf mois de guerre j'ai été observé avec méfiance et suspicion, j'ai été menacé de mort. Chers amis sarajéviens, vous me connaissez bien, je n'étais pas, je ne suis pas et ne serai jamais un *tchetnik*. Personne ne peut me contester le droit de lutter avec vous, musulmans et Croates, citoyens de Sarajevo et de toute la Bosnie-Herzégovine, pour sa liberté. Les menaces ne me font pas peur, mais je redoute les accusations ignobles et les offenses. Je ne vendrai à personne mon honneur. Je continuerai à lutter, personne ne peut me priver du droit de vivre libre et heureux dans la rue Logavina et de flâner sur la promenade de Wilson... »

Au tout début de la guerre, lors d'une inspection nocturne et dangereuse des premières lignes de défense de Sarajevo, dans les couloirs déserts de la maternité à moitié détruite en bordure de la ville, Jovo m'a dit : « Tu sais, Zlatko, ce n'est pas un prétendu patriotisme qui a été décisif pour que je reste ici. C'était ce qu'il y a de plus normal, je ne songeais même pas à une autre solution. Depuis ma jeunesse, j'ai toujours désiré faire plus et mieux que ce que la vie ordinaire nous permet. »

Le général Divjak, camarade sarajévien, espiègle et un peu bohème, a fait pour Sarajevo et pour ses habitants beaucoup plus que ce que permet « la vie ordinaire à un homme ordinaire ». Le plus important est qu'il a su rester un homme simple, dans le sens le plus noble du terme.

Le maire et Magic Johnson

On dirait que Muhammed Kreševljaković, le maire de Sarajevo, sort d'une blague. Pas de n'importe laquelle, mais des histoires sur les braves Suljo et Mujo, où chaque bêtise est par avance pardonnée et pardonnable. Les amateurs des blagues qui circulent dans Sarajevo depuis le début de la guerre affirment même « sérieusement » que le maire a « joué » dans une histoire devenue anthologique.

Au tout début de la guerre, deux Sarajéviens apprennent que les *tchetniks* arrivent de Pale à Sarajevo. Les deux hommes décident de monter une embuscade quelque part sur ce chemin, pour y accueillir l'ennemi. L'histoire dit que, d'après les nouvelles, les *tchetniks* devaient arriver d'un instant à l'autre, car ils étaient déjà très près de la ville. Les deux attendent donc derrière un arbre. Passe une heure, passent deux heures, rien. Passent trois heures, puis l'un des deux braves — les méchantes langues disent que c'était le maire — dit, très inquiet, à son frère d'armes : « Ecoute, mon vieux, quelque chose a dû leur arriver en chemin. Attends ici un instant, je vais voir s'ils n'ont pas besoin d'aide... »

L'histoire sur la « rencontre » entre le maire et Magic Johnson pendant les jeux Olympiques de Barcelone n'est pas très différente de la première anecdote, mais son authenticité est garantie. A Barcelone, lors d'une de ces réceptions organisées à l'occasion des jeux Olympiques, la délégation de Sarajevo croise les basketteurs américains. Emerveillé de se trouver dans la même salle que le grand Johnson, Kreševljaković parvient à convaincre l'interprète de la délégation, une femme sérieuse, d'aller parler au célèbre sportif. Il faut que Johnson accepte de se faire photographier avec le drapeau bosniaque. « A Sarajevo, tout le monde sera ravi de voir ça, vas-y, bon sang, il faut le persuader », insiste le maire. La femme cède enfin et va expliquer la chose à Johnson. Celui-ci lui répond très gentiment que toute agitation de drapeau dans ses bras est soumise à un contrôle très strict de la part des sponsors qui le financent et que cela coûte un paquet. Non qu'il ne le veuille pas, au contraire, mais il y a des contrats, des principes, etc. Ayant entendu la traduction précise de tout cela, le maire n'abandonne toujours pas : « Mais enfin, dis-lui qu'à Sarajevo les gens seront fous de joie, qu'il oublie les sponsors, ce sont certainement des gens bien. Explique-le-lui, je sais que c'est un grand homme, il comprendra... »

L'interprète retourne voir Johnson. Celui-ci hésite encore un peu, puis il dit généreusement : « O.K., on peut faire deux photos, mais vite, s'il vous plaît. Où est ce drapeau ? »

On court annoncer au maire que le grand Johnson a accepté, on demande le drapeau. « Quel drapeau ? vous croyez que j'ai un drapeau sur moi ? que je porte des drapeaux dans mes poches ? Dites à cet homme magnifique

que nous pouvons le photographier demain, tranquillement, sans précipitation. Je savais qu'il était grand... »

A Sarajevo, bien après, on racontait avec délectation cette aventure de Hamo. D'avis général, il a tout fait pour que le drapeau bosniaque devienne célèbre. Ce n'est tout de même pas de sa faute s'il n'y avait pas de drapeau.

Un pilote au commissariat

Aša pilote de petits avions, comme ça, pour le plaisir. Il a appris à voler parce qu'il est médecin à l'aéroport : ses copains de l'école de pilotage l'ont convaincu de se lancer, puisqu'il était sur place. Auparavant, il a été pilote de courses, il a même fait le rallye de Monte Carlo. Puis, pendant des années, il a travaillé comme médecin, de Sarajevo jusqu'en Iraq : « Mon Dieu, en Iraq j'avais vraiment la poisse. Les infirmières étaient toutes des laiderons... »

A l'époque où son père était une huile, pendant ces années lointaines et heureuses, Aša est devenu chauffeur de taxi à Sarajevo. Tout le monde disait que c'était de la frime, mais Aša n'abandonnait pas. Par la suite, il fut médecin, gynécologue, spécialiste en pharmacologie, et bien d'autres choses. A la veille de la guerre, lui et sa femme Enisa, ses filles Inka et Dina et leur épagneul Briči ont ouvert une vidéothèque, « Indi ». Dans le voisinage, nous étions convaincus que cela venait de « Kon Tiki », des mers lointaines et des nostalgies proches, mais en fait, le nom était composé des premières lettres des prénoms de ses filles. A « Indi », on trouvait des cassettes de bons films, on buvait du bon café, on jouait au bon billard et on racontait de bonnes blagues.

Quand la guerre a éclaté — et elle a éclaté alors qu'Aša venait de terminer divers travaux de rénovation, transformant, à la stupéfaction des voisins, l'espace autour de sa maison en un grand jardin d'été —, les bons Forpronu et leurs bonnes « poules » ont commencé à se retrouver à « Indi ». On y rapportait les aventures les plus sérieuses survenues dans les combats alentour. Enisa s'est mise à faire les meilleures pizzas qu'on pût fabriquer sans rien : en fait d'assaisonnement, Aša racontait les souvenirs piquants de ses années de pilotage. Une vieille petite Fiat 750 a servi à bricoler un groupe électrogène à gaz, si ce n'est qu'il n'y avait jamais de gaz. D'une bricole que l'on trouve normalement dans chaque chauffe-eau on a fait un appareil pour maintenir la pression dans la machine à café ; les aiguilles et les tuyaux à transfusion et Dieu sait quoi d'autre ont permis de fabriquer des lampes... et la vie continuait. L'épagneul, cette incroyable Brići, s'est fait courtiser par les corniauds du quartier, mais elle ne voulait pas céder et Aša non plus ne voulait pas. Cet ancien pilote, cet éternel amateur des hauteurs est devenu, lentement mais sûrement, le premier spécialiste de la ville pour ce qui est de flairer des tuyaux de gaz, de voir si le gaz arrive un tout petit peu ou pas du tout.

De jour en jour, Enisa devenait de plus en plus maigre, les invités du café « Indi » avaient les poches de plus en plus vides, la fille aînée, Inka, était de plus en plus belle et restait plus longtemps « dans les parages », la fille cadette, Dina, était de plus en plus nostalgique de ses copines de classe parties de Sarajevo ; elle passait plus de temps avec Brići, « cette superbe demoiselle qui m'a aidé à conserver des enfants normaux », comme dirait Aša.

En apparence, tout dégringolait lentement, mais sûrement. Il y avait de moins en moins de Forpronu avec leurs accompagnatrices fringuées « cinq étoiles », il ne pouvait plus y avoir de pizzas, le tuyau de gaz puait de plus en plus rarement. A proximité, sur la « maison autrichienne » — que les Autrichiens avaient offerte à Sarajevo pour les jeux Olympiques de jadis —, il y avait de moins en moins de planches à brûler... et les obus ont fini par se frayer un chemin jusqu'à « Indi ». L'un tomba en face, un autre un peu plus haut, un autre un plus bas dans la rue... jusqu'à ce que la peur s'empare du pilote Aša.

Et un jour, ce fut la fin. Ou du moins, cela aurait été la fin pour des gens vraiment timorés en un temps où l'arrestation, l'interpellation ou une nuit derrière les barreaux n'attestent plus l'existence de l'esprit révolutionnaire ou de celui des lumières. Aša et ses derniers clients étaient réunis autour de la dernière bouteille de vin français — arrivée d'on ne sait où et conservée depuis longtemps — lorsqu'ils ont été emmenés au commissariat (pas si proche que cela) pour y passer la nuit. En effet, « ils se trouvaient dans un établissement hôtelier, donc un lieu public, après le début du couvre-feu, à 22 heures ». Ce qui semblait invraisemblable pour quelqu'un qui, toute sa vie, a regardé les choses du ciel, d'en haut, qui a couru devant elles sur les pistes et les chemins du monde, était très normal pour ces gamins en uniformes : telle loi, tel article, tel alinéa... Et puis, les flics, la prison, l'isolement, dormir assis à une table pour la seule raison qu'on était dans sa propre maison, avec ses copains, autour d'une bouteille de vin !

Une vieille chanson populaire d'un groupe fétiche sarajévien, Indexi, dit : « Tomber, c'est aussi voler... »

Pour l'aviateur Aša, en fait, la nuit passée en prison n'était pas une chute, car lui-même, de ses hauteurs de pilote, a décidé que cela serait un vol. Cette nuit, dans la prison, nous avons entendu l'histoire qui avait toujours du succès auprès des filles dans les temps lointains et heureux : « Une mère avait deux filles, l'une d'elles était la plus belle du monde, elle ne voulait se donner à personne, et le malheur lui est tombé dessus ; l'autre, qui était folichonne et libre dans tous les sens du mot, vécut dans le bonheur et dans la joie... » Il nous a dit également que ce commissariat vivrait mieux si, par exemple, il pouvait se procurer un peu de café et de boissons et s'il en vendait aux Sarajéviens peu sages repérés après 22 heures « dans un lieu public, ou circulant dans les espaces publics de la ville... ». Nous connaissions les photos d'Aša aux commandes des avions, et nous avons tout entendu sur les laides infirmières d'Iraq. « On n'est pas révolutionnaire sans avoir fait de prison », nous consolait Aša, qui n'a demandé qu'une fois au commissaire de téléphoner à Enisa, Inka, Dina et Briči pour qu'elles ne s'inquiètent pas. « Cette petite peste n'a même pas daigné aboyer quand on est partis. Dès demain, elle n'aura que du riz, pas de viande. Même un pingouin aurait aboyé en voyant des policiers m'emmener. »

Puis, à cinq heures du matin, quand lui et ses invités ont été relâchés, il est allé à « Indi », a reniflé le gaz qui n'était pas là, et sur les morceaux de la « maison autrichienne », il a fait du café. L'aube ne s'annonçait pas encore. C'était l'obscurité, le froid, la neige...

Quelques heures plus tard, on s'est croisés dans la rue ; il m'a dit : « Zlaja, si tu n'as rien mangé, si tu as faim, va voir Enisa, elle a fait une excellente *pita*. Moi, je vais travailler au ministère de la Santé ; plus tard, j'irai peut-être à l'aéroport négocier des sources d'eau communes avec ceux de l'autre côté. Ce soir, à l'heure habituelle, on se voit à « Indi ». On ferme à dix heures, pour que les gars n'aient pas de problèmes avec nous. Enisa fera peut-être même des pizzas, si elle trouve les matières premières. Zlaja, n'oublie pas — tu sais que les révolutionnaires se réunissaient toujours clandestinement — nous devons étudier les matériaux qu'ils nous ont envoyés. Tu sais combien il y a de pays sur lesquels nous n'avons rien dit. Combien de laiderons parmi les infirmières. Et on fera peut-être même un projet d'ouverture d'un bistrot en tôle. Je sens qu'on y sera bientôt de nouveau. Personne n'est innocent... »

Puis, Slavenko Šehović, connu sous le nom de Aša, inspecteur de la santé publique de la république de Bosnie-Herzégovine, pilote d'avion, pilote de courses, plaisancier, propriétaire du « Indi » et flaireur professionnel de gaz, s'en est allé au travail. Il est peut-être allé à l'aéroport, c'est là sa place, là d'où on s'envole constamment pour voir la vie d'en haut, une perspective d'oiseau, comme il sied à ce genre d'hommes.

« ... et on verra bien la galère quand tout sera terminé un jour, quand les souris s'enfuiront... »

Cette nuit-là, nous avons abordé un autre pays où il y a du soleil et de la mer. Nous sommes restés longtemps après 22 heures. Ils ne sont pas venus, bien que la porte ne soit pas fermée. Brići a réussi à défendre une fois de plus l'honneur de la maison, à la satisfaction d'Aša, d'Enisa, d'Inka, de Dina et des copains, de vrais Sarajéviens. Le gaz et l'électricité ne sont pas venus, mais qu'importe ! Tomber, c'est aussi voler...

Le vase

« ... Le 28 mai 1992, la nuit où ils pilonnaient Sarajevo, mon appartement a été pratiquement détruit. Un obus a traversé la cuisine, puis le séjour. C'est là qu'il a explosé et qu'il a tout soufflé. Ma femme, ma fille et moi étions dans la cave. Je me souviens que j'ai regretté de devoir descendre, car il y avait à la télévision cette fameuse série "Les Orages de la guerre". Je me rappelle que cela chauffait à cause des batailles dans le Pacifique, et je mourais d'envie de voir la suite.

« Après une terrible explosion qui a secoué tout l'immeuble, j'ai senti que ce n'était pas loin de notre appartement. Toute la nuit, nous avons dû rester en bas. Le lendemain, quand la situation s'est calmée, j'ai été désespéré de voir que tout avait été démoli chez nous. Des milliers de petites choses, des photos, des souvenirs de voyages... Ne sachant que faire, je suis descendu dans la rue, qui était encombrée de ruines, de briques, de crépi, de poutres carbonisées, de morceaux de meubles. Les gens ramassaient ce qu'ils pouvaient prendre, contournant les fils des poteaux qui traînaient par terre. Un véritable ruisseau coulait dans la rue, provenant d'une conduite de tuyau d'eau touché quelque part à proximité.

« Par miracle, la galerie “Leonardo”, de l’autre côté de notre rue, est restée quasiment intacte, hormis les vitres brisées. Son propriétaire, mon copain Pajo, tournait en rond à l’intérieur, ne sachant pas par où commencer le nettoyage. Je suis entré. De la porte, j’ai remarqué un petit vase qui, dans des circonstances habituelles, ne serait qu’un détail de plus dans un appartement bien aménagé. A cet instant, comme dans les temps normaux de jadis, il m’a semblé qu’il fallait acheter ce vase, puisqu’il me plaisait. J’ai demandé à Pajo, d’une voix qui devait lui sembler la plus extraordinaire du monde, combien coûtait le vase. Il m’a fixé quelques instants, puis il a hoché la tête, poursuivant son travail. C’était curieux qu’il me laisse sans réponse. Je lui ai reposé la question tandis que lui me dévisageait, n’en croyant pas ses oreilles. Puis, en reprenant ses occupations, il a dit plutôt pour lui-même : “Comment veux-tu que je sache combien il coûte aujourd’hui. Avant, c’était cinq cents dinars, si je me souviens bien...” J’ai pris le vase sous le bras, comme pour éviter que quelqu’un d’autre ne le prenne, et en sortant de la boutique j’ai lancé à Pajo : “Je reviens tout de suite, je vais chercher de l’argent à la maison”.

« C’est ce que j’ai fait. Dans la cave, ma femme avait un peu d’argent sur elle. Je ne lui ai pas dit pourquoi j’en avais besoin. Qui sait comment elle aurait réagi ! Quand j’ai apporté le vase dans la cave, j’ai expliqué aux gens d’où il venait. Une voisine m’a dit que j’étais fou, mais qu’elle — qui ne l’était pas — « comprenait très bien ma situation ». Il y avait de la pitié dans ses yeux, notamment quand elle regardait ma fille. Certains ne disaient rien, mais il était clair que je leur semblais encore plus idiot que ce que la première voisine avait osé dire. Ma femme se taisait, mais d'une autre manière. Seule ma fille de dix-sept ans a pris le vase, l'a examiné, puis elle a dit : « Merci de l'avoir acheté, cela faisait longtemps que je l'avais remarqué chez Pajo. Il faut lui trouver un endroit sûr dans l'appartement. »

« Nous avons mis des jours à déblayer l'appartement, en essayant d'improviser un abri avec ce qui nous restait. Nos discussions interminables portaient sur l'endroit le plus sûr pour le vase. Il était plus qu'évident qu'il n'y en avait pas. Trois murs de notre appartement sont orientés de trois côtés différents, d'où les obus arrivaient quotidiennement. Mais on faisait comme si le seul endroit dangereux était celui du trou béant. Le reste, c'était bien sûr complètement autre chose. Finalement, nous l'avons trouvée, notre place sûre, et le vase y est toujours. Aujourd'hui, je suis tout à fait convaincu que nous n'avons jamais eu d'objet plus important dans notre maison. Et je suis très heureux d'avoir pu acheter ce qui m'a vraiment plu... »

Refik Beširević, 48 ans, travaille dans le cinéma.

Une merveille

Sulejman Klokoči, un garçon du Kosovo, est venu à Sarajevo à la veille de la guerre en tant que cameraman de Yutel, une télévision qui se voulait « yougoslave ». Il est arrivé précédé de sa réputation de grand maître de la caméra, aimable et ouvert. Le père de Sulejman avait donné pour tâche à ses camarades sarajéviens de lui trouver une femme bosniaque. Au lieu de passer quelques mois dans la ville la plus libre de Yougoslavie, Sulejman est resté pendant deux ans dans le plus grand camp de concentration du monde. Ses camarades ne l'ont pas marié à une Bosniaque. Le temps leur a manqué à cause de la guerre et de la peine qu'il fallait capter tous les jours avec la caméra. Cependant, Sulejman Klokoči est devenu naturellement, sans formalité aucune, un gendre sarajévien. Davantage, il est devenu un véritable fils de la ville, à part entière.

La veille au soir de son retour chez lui, au Kosovo, où il allait revoir, pour la première fois depuis deux ans, son père et sa mère, il a parlé spontanément. Ce colosse était au bord des larmes :

« Voilà, avant mon départ, l'idée me traverse l'esprit que je suis après tout Sarajévien que beaucoup de ceux qui sont nés ici. Je suis triste, plus triste que je ne l'ai jamais été de ma vie. Après la faculté, j'ai erré dans le monde pendant douze ans, sur les fronts, partout, et c'est ici que j'ai trouvé un foyer. Je ne sais pas ce qui m'est arrivé de ne plus pouvoir quitter Sarajevo pour voir ma famille, alors que je le souhaitais tant. Je ne sais pas où je suis ni qui je suis. Ma famille est là-bas alors que tout ce que j'ai est ici. Il n'y a pas de balance qui pourrait mesurer cela. Sarajevo est une merveille. Quand je suis arrivé ici pour la première fois, il pleuvait au centre ville, c'était le brouillard et l'obscurité. Je suis allé à la télévision, et là-bas, le soleil. Je ne comprenais pas comment c'était possible. Qu'est-ce que cette ville où il pleut et fait soleil en même temps, au même endroit, avec l'histoire et l'avenir à la fois, avec tant de différences incroyables, et tout est comme une seule entité, différent et pareil à tout moment. Froid, chaud, vieux, jeune... Même quand je quitterai Sarajevo, je ne saurai jamais ce qu'est Sarajevo. Qui sont ces gens comme il n'y en a nulle part. Une connaissance d'ici m'a demandé si j'avais de l'argent pour le voyage, par Ancone et l'Albanie jusque chez moi. Je lui ai dit que j'en avais assez pour le café et les boissons, que ça ira. Il a plongé la main dans la poche, a sorti cinq cents marks allemands et me mes a mis dans la main : "Voilà, dit-il, c'est pour le voyage, au cas où... C'est normal..." Je ne connais même pas exactement son nom, mais c'est un Sarajévien. Hé, dis-moi, où peut-on trouver cela, dans la guerre et la misère ? Mon cœur se brise à l'idée que je vais quitter ces gens et en même temps je suis fier d'eux.

« Mon Dieu, qu'est-ce que c'est ? Sarajevo est une merveille. »

Sulejman Klokoči, maître de la caméra, maître du cœur et de l'âme, Sarajévien, est parti pour revenir. « Je suis contaminé par cette ville, il n'y a pas de remède pour moi. Je suis un homme heureux parce que je suis Sarajévien », disait-il avant le départ du transporteur blindé blanc vers l'aéroport. Il lui faudra passer par les barricades érigées par des créatures qui n'ont jamais pu arrêter Sulejman ou ses amis, ni emprisonner leurs âmes. Il faisait sombre et brumeux à l'aéroport, alors que le soleil brillait au centre ville...

Sarajevo, hiver 1993.

L'homme pour qui rien n'est plus important qu'un beau vase. *Refik Beširević.*

En attendant les flics américains pour pliagat. *Bojan Hadžihalilović.*

Comment être Serbe en Bosnie. *Général Jovan Divjak.*

Lumière au bout de la rue, janvier 1994.

« On me dit que je suis fou. » *Docteur Bakir Nakaš.*

Seuls contre tous, match de boxe dans la patinoire olympique, « Skenderija », janvier 1994.

l y a 80 ans, c'est à cet endroit qu'a commencé la Première Guerre mondiale.

La lumière viendra-t-elle un jour. *Mira et Marija.*

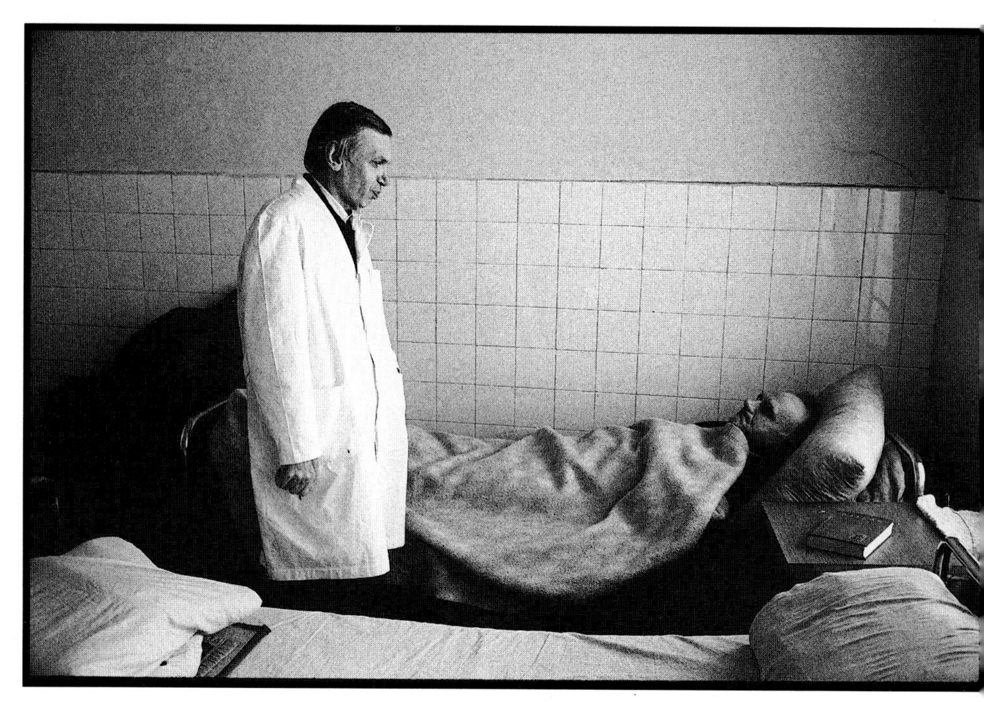

Ce qu'il reste d'un grand hôpital. *Professeur de chirurgie Ismet Cerić.*

Le marché où il n'y a plus rien.

C'est ici que j'organiserai le Salon international du livre. » *Taib Śahinpaśić.*

Iiro, hiver 1992.

Pilote au-dessus du nid de coucou. *Slavenko Šehović-Aša.*

Lettre à Akira Kurosawa

Au nom de Allah le Clément et le Miséricordieux!

Monsieur Kurosawa Akira,

Cela fait longtemps que je souhaite vous écrire une lettre. Je suis désolé de ne pas pouvoir le faire autrement que par des mots, j'aimerais disposer de quelque chose de plus digne que les mots, mais je n'ai rien...

En fait, je n'aime pas écrire des lettres. J'ai écrit, mais je n'aime plus écrire. Maintenant, j'aime lire.

Toute ma vie, et j'ai cinquante-trois ans, je garde dans ma mémoire vos films.

Quand j'étais enfant, j'ai d'abord vu votre film Rashomon.

Je ne me souviens pas de mon père, qui a été tué quand j'avais trois ans, mais je me souviens de mon grand-père Omer. Quand j'avais environ trente ans, Omer est mort. De la même manière dont je me souviens de mon grand-père Omer, je me souviens de votre film Rashomon *et inversement... Je veux dire que j'aime mon grand-père et c'est pour cela que je m'en souviens. Puis j'ai vu dans ma vie des milliers de films et des milliers de gens, mais ne me souviens ni des uns ni des autres.*

Or je me souviens de vos films. Je ne les ai pas tous vus, seulement quelques-uns.

Qu'est-ce qu'un film ? Quelque chose de très suspect.

Qu'est-ce que l'art ? Qui sait !

Vous seul, Kurosawa Akira, vous avez fait du film un art.

Vos films sont les bijoux de mon intimité. Uniquement parce que vos films sont les bijoux de mon intimité, j'ose vous écrire cette lettre.

Si le monde entier, des millions et des millions de gens disent : « Kurosawa Akira ! » mon cri : « Kurosawa Akira ! ne sera, même entendu comme un chuchotement. Malgré tout, je souhaite dire : Kurosawa Akira ! car je ne suis que ce que vous vouliez que je sois pendant que je regarde vos films.

C'est ce que je suis.

Maintenant, je voudrais vous demander la permission de dire une chose.

Je regarde comment trois pays et trois peuples armés — après avoir encerclé mon pays et mon peuple désarmé — disparaissent définitivement pour moi. Je vois comment l'Europe l'observe dans l'indifférence et je vois que l'Europe disparaît elle aussi.

Je vois le lointain Japon dans toute sa beauté !

Je ne voudrais pas que le Japon disparaisse lui aussi.

Alors, si vous connaissez monsieur Yasushi Akashi, dites-lui de ne plus être le domestique pittoresque du pharaon des Nations unies, Boutros Boutros Ghali.

Cordialement vôtre,

Nedžad Ibrišimović
Président de la Société des écrivains de Bosnie-Herzégovine.

Nedžad a écrit cette lettre le jeudi 10 février 1994. On ignore si cette lettre est arrivée au Japon. Yasushi Akashi obéit toujours à Boutros Boutros Ghali.

Du riz aux chandelles

Officiellement, Nermina Zildžo est conservatrice de la Galerie des arts de Bosnie-Herzégovine. Pratiquement, elle est une représentante typique de cette génération de Sarajéviens, aujourd'hui quadragénaires, à qui il suffit d'ouvrir la bouche pour qu'on découvre leur charme, leur éducation, leur humour, leur amour des taquineries, bref, tout ce qui s'appelait jadis « l'esprit de Sarajevo ». C'est ce que recherchent aujourd'hui des centaines de journalistes venus du monde entier pour expliquer la résistance obstinée de cette ville.

Nermina Zildžo a la particularité d'être l'une des rares personnes qui ont pu sortir de Sarajevo pendant la guerre, qui ont pu « profiter » des charmes de la paix et du silence. Mais cela lui a également permis de voir que l'on ne peut pas raconter l'histoire de Sarajevo à ceux qui ne l'ont pas connue eux-mêmes. Avec quelle attention soutenue les gens écoutent nos récits sur les détails les plus ordinaires ! C'est étonnant qu'ils soient incapables de faire un effort pour comprendre seuls, grâce à une logique élémentaire, des vérités simples, et de reconnaître des choses évidentes...

« Il ne s'agit pas de politique. Il s'agit de la vie quotidienne la plus ordinaire. Quand je suis sortie de Sarajevo pour la première fois, en été 1993, une amie m'a accueillie à Zagreb avec des transports de joie. Nous avons tellement parlé de tout ce qui concernait Sarajevo, de la vie, de la peur, des obus, de la nourriture, que j'avais l'impression qu'elle n'ignorait rien de nous. Puis, elle a préparé le dîner et m'a rempli une assiette de riz. J'ai eu l'impression que la pièce tournait autour de moi. Ce n'est qu'au milieu du dîner qu'elle s'est aperçue que j'avais à peine touché au riz, et qu'elle a compris, alors que je lui avais raconté des romans entiers sur notre dégoût du riz, des spaghettis et du soja ! Quelques jours plus tard, j'ai eu la même expérience avec des spaghettis à Venise. Mes amis étaient ravis de me submerger de pâtes préparées de mille façons différentes. Eux aussi savaient tout.

« Le comble, ce fut à Paris, lors d'un dîner chez une dame très respectée et très connue. Elle habite pratiquement au Louvre. Je n'avais jamais franchi une porte comme celle de son appartement. Les invités, des amis, ce n'étaient pas n'importe qui. Sur la table... des bougies ; dans les assiettes... des lentilles, cuisinées de manières différentes, en immense quantité. C'était peut-être chic, à Paris, cette cuisine rustique dans des assiettes en bois avec des couverts en bois, mais, moi, j'avais tellement la nostalgie de la civilisation, de la lumière, de toutes les choses ordinaires dans le beau sens du terme ! A Sarajevo, on faisait du café avec des lentilles...

« Le lendemain, je vais chez le médecin : un ami m'a emmenée pour qu'il me fasse une piqûre contre l'hépatite. L'homme savait que je venais de Sarajevo, que j'allais rentrer chez moi. Il m'a fait une piqûre tout de suite, et m'en a donné une autre pour Sarajevo. Au moment où je partais, il m'a dit, imperturbable, que là-bas, à Sarajevo, il ne fallait surtout pas oublier de mettre le vaccin au réfrigérateur. Hé, au réfrigérateur ! Celui qui fonctionne à l'électricité ! Un autre médecin, qui m'a reçue avant les autres patients parce que je venais de Sarajevo, et qui était très attentionné, m'a conseillé de ne pas m'énerver chez moi, de faire attention à l'alimentation, de manger beaucoup de fruits, de légumes, de vitamines...

« Voilà, j'ai compris que notre histoire était perdue dans le temps et dans l'espace. On ne peut rien expliquer à personne, c'est complètement inutile. Plus tard, j'ai regretté de ne pas avoir demandé à ce médecin si je pouvais manger beaucoup de glace et de chocolat.

« La dernière soirée à Paris fut merveilleuse. Des amis avaient organisé un dîner d'adieu... aux chandelles ! Quelle horreur. Mais il ne faut pas leur en vouloir. Leurs intentions étaient bonnes, la vie est devant eux. Ils apprendront... »

La ville qui ne veut pas mourir

Pendant des mois, le grand complexe culturel et sportif Skenderija, qui se trouve « de l'autre côté » de la Miljacka, n'était pas accessible. Sur la colline, près de Skenderija, il y avait un nid de mitraillettes d'où les *snipers* terrorisaient cette partie de la ville. Toutefois, dès le début de 1993, on pouvait entendre à Sarajevo des rumeurs sur des cris étranges qui sortaient, paraît-il, de ce centre, sur un vacarme bizarre, exactement comme dans les grands moments de Skenderija. Puis l'histoire a commencé à circuler que des « fous » jouaient au foot là-bas, qu'on organisai même des tournois entre les équipes des différents quartiers de la ville. Tous ces gars dans la salle au sous-sol ? C'était un mystère.

Vers la fin de 1993, des Forpronu se sont mis eux aussi à fréquenter Skenderija, notamment des Français, et les matchs ont atteint « un niveau international ». Un jour, une chose inouïe s'est produite, incroyable même pour ces étranges « clients » du centre sportif. Un véritable tournoi de boxe fut organisée à Skenderija, les tribunes étaient combles, les cris des supporters retentissaient jusqu'aux collines où les « autres » devaient être ébahis. Dans la salle, à côté du ring, se tenait accroupi, souriant discrètement, un homme en anorak de cuir, le nez tordu d'un vrai boxeur. Sa présence devait surprendre tous ceux qui connaissaient ce Sarajévien populaire. C'était Bakir Nakaš, le directeur de l'hôpital de la ville, qui fut avant la guerre l'hôpital militaire, puis brièvement l'hôpital « français ».

Nakaš dispensait des conseils à deux mômes d'une dizaine d'années qui sautillaient dans le ring, les gants sur les mains et les casques sur la tête, qui semblaient plus grands qu'eux-mêmes. Jamais Bakir n'avait fait de sport, « sauf devant les caméras de télévision », comme il le reconnaît lui-même. Aujourd'hui, il est vice-président du club de boxe « Le Lys d'or ». Ce club, selon Nakaš, réunit les gens qui tiennent à la vie, des citoyens de la ville qui ne veulent pas mourir...

Dans cette salle qu'il fallait atteindre en courant par le pont exposé aux *snipers*, dans cette salle qui « respirait » comme jadis, dans une ambiance totalement irréelle, en se moquant légèrement des caméras des journalistes étrangers, le docteur Nakaš racontait calmement, comme s'il s'agissait des choses les plus habituelles du monde :

« En fait, tout ce qu'ils veulent c'est prouver que la vie ici n'a pas été anéantie. Ils se le prouvent à eux-mêmes. D'un point de vue psychologique, la lutte contre "ceux qui sont là-haut" est terminée. Ils ne peuvent plus rien nous faire. Ils sont désormais une réalité désagréable, quelque chose à quoi nous sommes habitués et qui ne nous fait plus rien. Ainsi, la question qui devient de plus en plus difficile, c'est de savoir si on peut vaincre la difficulté de vivre là où il n'y a plus rien, sauf nous mêmes. Ils nous ont poussés dans des trous à rats, dans des caves. Mais ces gamins veulent vivre même dans les caves. Ils veulent du sport, de la lutte, de l'espoir, même dans la cave. Toutes ces expositions dans les entrées des immeubles, quand il n'y avait plus de galeries, c'était ça. C'était pareil avec les pièces de théâtre dans ces mêmes immeubles. Tout est ainsi. Les personnalités connues, riches et très importantes, qui venaient au spectacle en tenue de soirée, avec des invitations officielles et des badges sur le revers de la veste, sont parties depuis longtemps. Les mômes, les gens simples, les héros et les handicapés sont restés. Et ils ne veulent pas mourir. C'est pourquoi le sport, l'art, la culture, la musique, le rire, tout ce qui est humain n'a pas quitté la ville. En revanche, c'est devenu encore plus fort. Peut-être que tout ça ici, ces enfants et leur application sportive, semble comique. Mais ce sont des dieux. Ils n'ont absolument rien : je ne parle pas des bonnes conditions de travail, d'entraînement, mais de nourriture. Littéralement, beaucoup d'entre eux n'ont plus de toit. Certains ont perdu leurs parents. Mais ils espèrent tout retrouver. Ils travaillent fanatiquement en sachant qu'ils ne seront jamais des champions, des grands boxeurs. Ils viennent jouer en attendant qu'il se produise quelque chose. Certains en seront peut-être récompensés par une brillante carrière sportive. Des gens qui viennent de l'extérieur disent que cela « dépasse la raison ». C'est parce qu'ils ne connaissent ni ces gamins ni personne d'entre nous. S'ils nous connaissaient, ils ne diraient pas que c'est de la folie, que c'est irrationnel. Bref, nous ne voulons pas mourir en tant que ville, en tant qu'hommes, en tant qu'avenir. Peu m'importe que cela paraisse pathétique ou mièvre, c'est comme ça. On me dit que je suis fou de tourner autour du ring avec ces gamins. Et que pourrais-je faire de mieux? M'asseoir autour d'une table pour débattre de la politique : signeront-ils ou non? Qu'ils signent ou qu'ils ne signent pas, rien ne changera pour ces enfants. Ils ont déjà remporté leur bataille. Qu'est-ce qui me reste à faire ? Je regarde ce ring, je me demande comment le transporter à l'hôpital pour organiser un tournoi devant les patients. Je vois qu'il est trop grand, ce sera difficile. Aucune de nos salles n'a les dimensions de ce ring. Tant pis. Si on ne peut pas le faire à l'intérieur, j'attendrai l'été et on montera le ring dans la cour de l'hôpital. On trouvera un moyen pour le protéger. C'est d'ailleurs comme cela que nous avons organisé le spectacle *Hair* à l'hôpital, et bien d'autres spectacles. Y a-t-il là quelque chose de fou ? Tout me paraît si simple. Pourvu qu'il y ait un peu de paix et d'électricité. L'eau non plus ne serait pas de trop. Il faut pouvoir se laver après un match, si possible. Les gamins aiment bien ça. »

Quelque chose sur l'amour

« Je ne veux parler de rien d'autre que d'amour. Et ma copine va chanter *Love Story* pendant que je raconte.

« Je suis dégoûtée de tout cela, tout est sale, mille fois j'ai voulu pleurer car je ne pouvais pas partir d'ici, m'en aller en Amérique ou dans un désert où il y a du soleil, de la chaleur. Combien j'aimerais partir en Asie, par exemple. Enfin, n'importe où, là où je puisse me réchauffer et où l'on ne me bombardera plus. Mon Dieu, combien je hais ces obus, combien je hais la peur. J'aimerais tant être courageuse et ne pas avoir peur... Mais voilà, quand tout sera terminé, je sais que je ne me souviendrai que des belles choses et des gens généreux.

« Avant la guerre, on plaisantait sur le film *Couronne de Petrija* : "Tout ce que j'avais, je le souhaitais. Tout ce que je souhaitais, je l'avais." Mais c'est cela qui restera, j'en suis sûre. Le souvenir des jours lointains où pour la première fois, je suis partie de chez mes parents pour être avec des copains, pour avoir mon propre appartement, y vivre avec une copine, vivre un grand amour avec un garçon que j'aime, qui sera avec moi dans les moments difficiles, pour avoir un travail, être indépendante... Ce sera comme ça, quand je me souviendrai de Sarajevo, vue d'une Sarajevo future ou, qui sait, vue de loin. »

Portraits de Sarajevo

Pour accompagner cette histoire racontée lentement, pour soi-même, la copine chantonnait *Love Story*. La situation était parfaitement kitsch : dehors, une épaisse couverture de neige blanche et quelques lumières ; à la radio, la musique des jours heureux ; et elle — au lieu du refrain quotidien : c'est dégueulasse, je hais, je hais, je hais — raconte qu'elle « avait tout ce qu'elle souhaitait ».

Tout, c'est un appartement, un homme et un peu de soleil. Dans une ville où vivent ses copains.

Comment peut-on oser désirer autant, à Sarajevo ?

Mira Samardžić, 26 ans.

Nous sommes en vie...

Chaque homme au monde a grandi avec une chanson. Chacun a frémi en entendant une voix ou un air lui apportant des souvenirs tendres aux temps de l'enfance ou de la jeunesse. Depuis quelques décennies, à Sarajevo, cette voix c'est celle de Kemal Monteno. On a grandi à ses vers, ils étaient la nourriture des Sarajéviens. C'était notre vérité et notre amour, une présence aux premiers rendez-vous d'amour, l'explication que nous ne savions pas trouver, c'était la plus belle chose que nous voulions dire, mais que nous ne savions pas ou n'osions pas dire de nous-mêmes. Quand on lui volait ses vers pour les chuchoter dans la nuit celle ou à celui pour qui nous devenions des voleurs, c'était pardonnable au nom de l'amour.

Evidemment, Kemal Monteno est resté à Sarajevo avec sa guitare, avec cet éternel sourire affiché sur un visage devenu flétri et ridé. Il ne reconnaît pas sa faim et sa solitude, ne s'en plaint jamais. Sa colère est immense, car la vie l'a trahi comme elle a trahi toute chanson qu'il ait jamais écrite sur Sarajevo. Il est resté ici pour chanter. C'est lui qui peut encore nous tirer des larmes, quand nous sommes aigris et humiliés et ne voulons pas offrir au monde le plaisir de nous voir pleurer. La nuit, quand c'est le plus dur, et le plus dur c'est tout le temps, dans les coins des anciens cafés et des clubs, ses vers nous parviennent :

Nos doigts oublient de jouer
nos voix oublient de chanter
nous ne nous rappelons plus nos vers
guitares mortes
guitares mortes...
est-ce eux seuls
eux seuls qui vont chanter...

Une de ces nuits où on croyait encore que cette guerre folle n'était qu'un bref épisode de nos vies, il m'a dit en passant : « On me demande pourquoi je n'écris pas de chansons. Je ne veux pas tant que je ne pourrais pas écrire la meilleure chanson d'amour. Aujourd'hui, je ne peux pas écrire sur l'amour. Et je ne veux pas écrire sur autre chose... »

Des mois plus tard, avec son inséparable ami, Davorin Popovič — la seule légende de Sarajevo et de notre jeunesse qui lui soit égale —, il défiait les chansons de la haine avec ses vers écrits il y a longtemps. Il n'autorisait jamais le Chanteur — comme il appelait Davorin — à chanter quelque chose d'indigne du moment et des gens « appuyés » à ses chansons comme aux seuls piliers du désert sarajévien.

Puis une lettre est arrivée de Zagreb, donc de très loin selon nos critères actuels. La lettre venait de Arsen Dedić, une vieille connaissance, un chanteur qui a connu avec Kemo les mêmes villes, les mêmes plages et cafés. C'était une vraie lettre écrite du cœur, pleine d'amitié, d'inquiétude et de chagrin à cause du délire qui nous a ramenés des siècles en arrière.

Kemal Monteno a répondu. Il a écrit une chanson d'amour qui ne nous quitte plus. C'était sa promesse. Il ne veut pas l'enregistrer et empêche les autres de le faire. Si vous êtes Sarajévien, si vous savez ce que cela signifie dans cette ville, si vous avez le courage d'être là où sont les Sarajéviens par une nuit froide, vous aurez peut-être la chance de l'entendre, tard dans la nuit ou à l'aube. Alors, interpellés dans la rue, pendant le couvre-feu, vous passerez le reste de la nuit au chaud, dans un commissariat.

Nous avons reçu ta lettre
lettre à un ami
des vers d'espoir étouffé
voici notre réponse aux doigts engourdis
sur des cordes préservées
les cœurs battent le rythme
pulsent encore
aux feux de l'homme
comme phœnix, comme phœnix
en respirant l'air de Sarajevo
la résistance à la mort
de tant de jeunesse
mon Dieu, Dio mio...

Puis, vient ce que nous, abandonnés ici aux hyènes au nom de « l'ordre » et de la « civilisation », n'oublierons jamais. Ce sont des mots qui abrègent notre vie par l'émotion qu'ils nous apportent :

... nous nous promènerons de nouveau
dans la rue Daniel-Ozma
au cœur de la nuit, comme jadis
protégés par le voile de l'amitié

qui a toujours été et reste
une affaire non élucidée.
J'espère
j'espère pour la première fois...
Mon Dieu, Dio mio.
De nouveau nous
nous promènerons
rue Haulikova
au centre
marqués des fils de l'amitié
nous laisserons des empreintes
dans la neige
dans les pavés...
Tu demandes comment ça va
on est en vie
on est en vie...

Je ne sais pas s'il reste des choses qu'ils pourraient prendre à Sarajevo pour l'isoler davantage. Ils lui ont coupé les lignes téléphoniques, détruit la Poste et tué les facteurs, arrêté les trains et détruit les ponts, empoisonné les pigeons voyageurs et interdit les liaisons par satellite. Mais la réponse est partie à Arsen, à Zagreb, et bien plus loin. Elle part tous les jours, infiniment de fois.

De nouveau, on le fera... on est en vie, on est en vie...

Le père noël

« ... C'est vrai que je n'ai pas de jambe, qu'on me l'a enlevée après que l'obus m'a touché. C'est quelque chose qui arrive à Sarajevo : Darko, lui non plus, n'a pas de jambe, et Slaven n'a pas de bras. Le toutou de Salem de notre immeuble se retrouve lui aussi sans jambes. Cela peut t'arriver, on n'y peut rien. N'empêche qu'avec cette jambe, je suis quand même plus rapide que tout le monde dans ces trois chambres. Je pourrais tous les rattraper, même sans béquille.

« Qui sait, peut-être qu'au nouvel an le père Noël m'apportera une jambe ? J'aimerais bien, s'il le peut ! Et s'il ne peut pas, ce sera peut-être pour une autre fois... »

Garçon de six ans que je connais, à l'hôpital.

Un peu d'amour, sous la terre

Enver Dizdar était, avant la guerre, le journaliste connu de tous à Sarajevo. Ce n'était pas grâce à son père [Mak Dizdar, poète connu], qui a écrit ces vers mythiques : « ... il nous faut passer la rivière... », mais grâce au journalisme d'Enver. Il n'est donc pas étonnant qu'il ait cessé d'écrire, dégoûté par le journalisme « de guerre », comme il dit. Un jour, une histoire a couru dans la ville : Enver a demandé aux médecins de Sarajevo, à moitié en plaisantant : « Pourrait-on amputer d'une jambe une vache bien portante et lui mettre une prothèse pour que les gens aient de quoi se nourrir, et que la vache continue à donner du lait et avoir des petits ?... » Médecins, vétérinaires, spécialistes ont débattu pendant des jours, l'idée fut reçue de manière variable. Quoi qu'il en soit, dit Enver, plus jamais cela ne lui viendrait à l'esprit de se mêler de sujets si « délicats » en temps de guerre. Pour le compte de différents clients, il a commencé, avec une petite équipe, à faire des films, courts, publicitaires, pour survivre. L'une des histoires qu'il a rencontrées en travaillant dans Sarajevo ne « rentrera » jamais dans un film comme elle le mérite :

« Je me suis trouvé une fois à Fréjus, en France, pendant un festival de Cannes. Fréjus ne m'a pas laissé une grande impression à l'époque. Il m'a semblé que je n'étais ni au bord de la mer ni sur le continent. Je suis revenu à ces souvenirs de Fréjus en tournant ici un film pour une unité de soldats français qui faisaient partie de la Forpronu. Cette unité est venue de Fréjus. C'est ainsi que j'ai connu son doyen, responsable de la logistique, Jean-Paul Diuder. Sa mère est française et son père algérien. Il comprend ce qui se produit ici mieux que les autres, probablement à cause du mélange qu'il a connu dans sa propre maison. Il est doux comme une colombe. Un jour, on s'est rendu dans le grand centre sportif Zetra, détruit, d'où ils devaient déloger une pauvre famille de réfugiés qui vivait dans la cave en béton. Les Français emménageaient là-bas l'une de leurs bases et les "civils" devaient partir. J'ai vu comment Diuder regardait les yeux en pleurs de la fillette de quatorze ans, semblable à sa fille. Son cœur se brisait. Il a tout fait pour qu'on les laisse dans ce cagibi et il a réussi. Puis il leur rendait visite, les nourrissait, les soignait, les consolait. En secret, car nous n'y avions pas droit, nous avons réussi à tourner une histoire sur cette famille et sur leur amitié avec Diuder. Dans l'équipe, les gens ne cachaient pas leurs larmes pendant le tournage. Je n'ai jamais vu autant d'amour et de reconnaissance en un seul lieu. Un jour, Diuder est reparti, cela tirait terriblement dans la ville, on n'a pas pu se voir. Il n'a pas pu emporter ce film sur « sa famille ». Il n'a pas été possible de le lui faire parvenir non plus. Mais je l'apporterai à Fréjus un jour, à n'importe quel prix. Il l'a mérité. Je retrouverai d'abord mes enfants, quelque part en Allemagne, je prendrai le temps de vivre quelques moments d'amour avec eux, puis j'irai à Fréjus. Je le lui dois, cela va de soi... »

Qui est fou ?

Fahro Memič est l'un de ceux qui ont à eux seuls défendu *Oslobodjenje*, qui lui ont sauvé le nom et la vie. Ses vieux copains disent que c'est l'homme qui fonctionne le mieux dans des conditions absolument anormales. Pendant toute la guerre, il a donc le mieux fonctionné. Il était devant l'immeuble du journal la nuit où il brûlait, à quelques mètres du pompier tué par les *snipers* lorsqu'il essayait de lutter contre le fléau. Plus tard cette même nuit, il a terminé avec ses collègues le journal qui est sorti le lendemain des décombres de la rédaction. Pour les Sarajéviens, c'était un nouvel espoir. Ces premiers jours de guerre, en se servant de bobines de papier et de camions, il bouchait les innombrables entrées de l'immeuble d'*Oslobodjenje*, à une centaine de mètres du front. Il était présent là où c'était difficile, où ne pouvait se trouver que quelqu'un de « fou ». Aujourd'hui, sept cents jours après le début de la guerre, il est là où sont de nombreux autres combattants de la première heure : légèrement mis à l'écart par les « nouveaux héros », par ceux qui étaient introuvables quand cela brûlait.

Le premier jour de la « vraie » guerre à Sarajevo, le 2 mai 1992, il était rue Zrinski. Comme des milliers d'autres, il n'en croyait pas ses yeux en apercevant le canon auto-moteur gris vert qui rentrait, en se dandinant, dans la ville. Celui-ci préparait le terrain pour le pire qui devait venir. Tout était inattendu, troublant, choquant. Les combattants de la « Ligue patriotique » de Bosnie-Herzégovine — clandestine à l'époque — sont apparus, avec des mortiers et des lance-roquettes, et avec d'autres armes que les Sarajéviens ne connaissaient pas encore.

« C'était incroyable. J'ai vu le canon englouti par les flammes, j'ai vu mourir des garçons de l'ex-armée populaire. Les questions fourmillaient : Pourquoi ? Pour quelle raison ? Pour qui ? Plus tard, cette dernière s'est avérée décisive : pour qui ?

« Je suis parti à la recherche de Vesna que je devais voir chez Ćarli, mais nous ne nous sommes pas retrouvés là-bas, il était trop tard. Partout, c'était le désordre total : la cathédrale, Mejtaš, le monument du soldat inconnu. Tout le monde a vu le commencement, personne n'y a cru. Devant le café "Lora", je la retrouve toute désemparée. "Sont-ils fous ?" demande-t-elle. Je ne sais pas. Je sais que ma ville est attaquée, que tout ce que je possède ici est visé. A ce moment, pendant qu'on était ensemble dans un passage, le premier "vrai" obus est tombé. C'était un son complètement inconnu, un fracas terrible, le labourage des entrailles de la terre. Sur le plus grand magasin de Sarajevo, rue Tito, une énorme plaie noire s'est ouverte. Tout était totalement irréel et pourtant cela se déroulait sous nos yeux. "Sont-ils fous ?..." J'ai regardé vers le café « Lisac » [Renard] où nous avons passé notre jeunesse. Je me suis dit que si je courais là-bas je pourrais boire tranquillement un café, je pourrais discuter avec le propriétaire comme si de rien n'était. Puis j'ai téléphoné à la rédaction. C'était occupé. J'ai téléphoné à Radio Sarajevo. C'est Milka Figurić qui m'a répondu. Mon Dieu, où peut-elle être aujourd'hui ? Elle m'a laissé parler directement à l'antenne, pratiquement depuis la rue. C'était une transmission en direct de l'assassinat de la ville, de la Bosnie-Herzégovine, de moi, de mon fils Damir, de ma Željka, ma Fahra, Nina... Sont-ils vraiment fous ?

« Au milieu de la phrase, j'ai entendu une nouvelle détonation. C'est l'immeuble à côté de la flamme du soldat inconnu qui a été touché, au-dessus du magasin "Dekor". Je n'ai pas raccroché pendant que j'ai couru voir ce qui s'était passé. Puis, une nouvelle détonation, derrière mon dos. C'est ainsi que le pire a commencé, l'agonie qui dure depuis sept cents jours. Je me souviens de ce que Dobrica Ćosić, jadis un grand écrivain, puis un petit président serbe, a dit à Radovan Karadžić au début de la guerre : "Il faut tout faire pour que ce qui était impossible devienne possible." Nous avons lutté pour rester en vie, nous et *Oslobodjenje*. Pour rester debout, autant que possible.

« J'entends encore l'écho de la question que Vesna m'a posée il y a deux ans : "Sont-ils fous ?"

« Oui, Vesna, mais nous le sommes encore plus. C'est pourquoi nous ne nous sommes pas rendus. »

Kike le Toqué

Jadis, pendant les temps heureux, quelqu'un a lancé un dicton qui s'est avéré assez exact, en dépit de tout son pathétisme, de sa douceur affectée et de son infantilisme : « Les enfants sont notre plus grande joie. » Ceux qui avaient et qui ont des enfants ont compris depuis longtemps toute la profondeur de cette trouvaille. « Les enfants sont la plus grande tragédie de Sarajevo » : c'est la vérité que personne n'a peut-être encore définie de cette manière, mais ceux qui ont et qui n'ont pas d'enfants vivent ici avec cette vérité depuis des mois. Ce n'est pas uniquement à cause de la séparation douloureuse d'avec les enfants victimes des obus et des *snipers*. C'est surtout parce que des générations de gamins ont laissé passer leur dernière chance d'entrer dans une vie tant soit peu normale : des dizaines de milliers d'entre eux seront marqués définitivement par des traumatismes. Enfin, des enfants entrent dans la vie imprégnés de haine et d'intolérance qui leur ont été inculquées par leurs parents ou leurs proches. J'ai vu la fierté du père d'un garçon de dix ans, parce que celui-ci avait arraché de l'atlas géographique les cartes de la Serbie et du Monténégro. D'après ce père, son fils a défendu l'honneur de sa famille. Des larmes de joie brillaient dans les yeux du père qui « savait désormais qu'il a engendré un véritable héros ». C'est affreux.

Le garçon qui n'a jamais dit un mot sur l'héroïsme des pères devant les enfants de Sarajevo, et que ces enfants écoutent comme le bon Dieu, chaque mardi après-midi sur les ondes de la radio « M », ce garçon s'est appelé lui-même Kike le Toqué, pour amuser les enfants. « Kike le Toqué de Costa Rica », plus précisément, quand il annonce sa tempête radiophonique, car « les petits n'aiment pas les ennuis ». Pour les petits qui meurent, Kike remplace l'enfance dont ils ont été violemment privés, Kike est leur frère et leur pote, il est le gamin du voisinage et le héros mythique, le père Noël et Superman, la tortue Ninja et le père disparu on ne sait où. Les mômes font davantage confiance à Kike le Toqué qu'à la guerre ou à la paix : les fillettes de cinq ans lui confient leurs chagrins d'amour et leurs petits secrets. A ceux qui n'ont pas une bouchée de pain Kike donne et le gâteau et l'espoir qu'un jour il y en aura autant qu'on puisse l'imaginer.

Cet incroyable garçon sarajévien, Kike le Toqué, fait tous les jours la tournée des hôpitaux de la ville pour apporter à ses petits des bonbons et des petits fours. Dieu seul sait où il se les procure. Il a une véritable barbiche de chèvre, le crâne rasé; jadis il était grassouillet, mais aujourd'hui il n'est plus qu'une ombre affichant un éternel sourire sur les lèvres. Kike est peut-être l'exemple type de tout ce qui ne pourrait jamais plaire aux enfants qui vivent dans des conditions ordinaires. Mais les enfants de Sarajevo ne sont pas ordinaires. Ce sont des enfants anormalement normaux à qui il est anormalement très important d'avoir Kike le Toqué avec qui ils peuvent s'entretenir chaque mardi à midi. S'ils obtiennent la ligne. Sinon, ils feront savoir à la radio « M » qu'ils ont appelé et qu'ils n'ont pas pu passer. Il est absolument certain que Kike les appellera avant la prochaine émission pour savoir de quoi ils ont besoin.

— Kike, Kike, sais-tu qui t'appelle ?...

— Bien sûr, Nina, Nina, ma biche, y a-t-il des problèmes ?

— Non, Kike, pas du tout. Des copains sont venus hier soir, on a fêté mon quatrième anniversaire. Veux-tu, Kike, que je te raconte la blague que nous avons racontée hier ?

— Je t'écoute, Nina, promis, juré...

— Suljo vient voir Mujo et le trouve en train de se balancer sur une chaise, sur son balcon. "Que fais-tu là, bon sang ?" demande Suljo. "J'emmerde les *snipers*", répond Mujo.

— C'est super, ma biche. Qu'est-ce que tu préfères : que je t'apporte un gâteau ou que tu ailles te faire coiffer gratis chez l'oncle Rade ? La coiffure, bien sûr, c'est ce que je pensais. A Sarajevo, le plus important aujourd'hui c'est d'être beau. On les aura « les autres », par la beauté, tu es d'accord ? Tu sais que c'est facile de devenir beau ? Il faut dire à soi-même : je veux être beau, je peux être beau. C'est tout, ça marche. Les petits n'aiment pas les ennuis... Bisous à tous, Kike le Toqué de Costa Rica...

Je suis triste

A Sarajevo, au centre ville, en plus des milliers d'autres enfants, vit Lejla Kalajdžić, âgée de neuf ans. Chez ses voisins, elle a vu une lettre envoyée par leurs fils, depuis longtemps réfugiés en Allemagne. Les garçons ont le même âge que Lejla. Alors, la fille a plié une feuille de papier et elle a écrit une lettre en Allemagne, un peu comme une réponse à la lettre qui ne lui était pas adressée, mais qui aurait pu l'être.

Chers Bor et Gorčin,

J'ai vu vos photographies. Vous me plaisez. Je suis la voisine vos parents. J'ai lu votre lettre et j'ai vu comment vous passez vos journées. Je vous décrirai moi aussi ma journée. Je me lève tôt et je vais chercher du pain pour ma famille et pour les voisins. Le pain peut être acheté entre sept et huit heures. Plus tard, ce n'est pas possible, il n'y en a plus. J'ai peur car les obus tombent tout le temps et les snipers *tirent. C'est ma seule sortie. Le reste du temps je le passe à la maison. Je ne vais pas à l'école car il n'y a pas d'électricité ni de chauffage. J'apprends seule mais je n'ai pas de livres ni de cahiers. C'est votre maman qui m'aide le plus. Une fois par mois, l'électricité revient et alors on regarde la télévision. Je n'ai pas d'amies car dans notre maison il n'y a pas d'enfants et on ne peut pas sortir. Je suis triste.*

Chez vous c'est bien. Vous avez à manger. Vous faites du patinage. Les rues sont éclairées. Seulement, vous n'avez pas vos parents avec vous. Ils sont bons. Je suis contente parce que j'aime vos parents, parce qu'ils sont heureux de vous savoir en vie, parce que vous allez à l'école et parce que vos journées sont belles.

Je vous envoie beaucoup de salutations et j'espère qu'on se verra un jour.

Votre amie Lejla

Etaler la cervelle

Si l'on portait aujourd'hui à Sarajevo, comme avant la Seconde Guerre mondiale, des « Girardis » [chapeaux de paille, plats et durs, qui doivent leur nom à l'acteur autrichien Alexandre Girardi] et des boutons de guêtres, la canne au pommeau d'ivoire sous le bras, c'est certainement ainsi que Zoran Bečić serait habillé. « C'est un *gentleman* de la tête aux pieds », soupireraient les vieilles dames. Droit, toujours souriant, il vous regarde droit dans les yeux. Difficile de dire si c'est parce que dans la vie il ne peut oublier le théâtre — où il a atteint les sommets — ou si son succès sur les planches est dû au fait que c'est un comédien né.

Aujourd'hui, il est de nouveau comme au théâtre. Maigre, les yeux enfoncés, plus silencieux qu'auparavant, dans l'espace merveilleux de son vieil appartement du centre ravagé de Sarajevo où il a ouvert « un lieu » pour des amis. Personne n'arrive à prononcer à son sujet le mot le plus simple du monde : « un café ». Non, on ne peut pas : Zoran ne tient pas « un café ». Pour qu'il y ait un café il faut un cafetier, un propriétaire commerçant, un propriétaire videur, un homme habile, calculateur. Zoran ne l'est pas, c'est simplement quelqu'un qui habite un vieil appartement luxueux. Dans celui-ci, place est faite aux amis et aux visiteurs, à côté d'un grand voilier en bois de la meilleure fabrication, au milieu d'objets rapportés de ses voyages aux quatre coins du monde, parmi les tableaux qui ne sont pas « des tableaux de café ». Comme sur une scène, dans Dieu sait quelle pièce des temps révolus, Zoran pousse devant lui une table avec des boissons et demande ce que vous souhaitez boire. Il a du mal à ne pas se croire sur les planches. Ce n'est que parfois, comme de loin, qu'il sourit en entendant un arrivant frapper à la porte de son « lieu ». Qui a jamais vu frapper à la porte d'un café? Mais il est heureux de voir les gens frapper, montrant ainsi inconsciemment que ce n'est pas un café. Surtout pas dans cette guerre — si l'on peut parler de guerre.

« Cette terrible nuit de mai 1992, quand Mladić pilonnait Sarajevo, il a dit une phrase incroyable aux soldats qui appuyaient sur la gâchette des lance-roquettes : “Etalez-leur la cervelle...” T'en souviens-tu? Ces jours-là, en écoutant ses ordres enregistrés sur bande, je ne comprenais pas ce que pouvait signifier cette expression. Aujourd'hui, à presque deux ans de là, il me semble avoir compris ce qu'il pensait à l'époque, ce qu'il voulait faire et qu'il a finalement fait.

« Ces derniers jours, je me rendais au théâtre pour jouer. Je connaissais bien mon texte; j'ai toujours aimé pleinement assimiler mon rôle. Sais-tu ce qui s'est passé? En chemin, je me suis rendu compte que je ne savais pas quelle pièce j'allais jouer : je ne connaissais ni son titre ni mes partenaires. Je savais le texte, certes, mais je ne savais pas d'où il venait. Je n'arrivais pas à y croire, ce trou de mémoire... c'était incroyable! Que m'est-il arrivé? J'avais peur de la folie et de tout ce qui peut venir avec elle. Ce n'est que plus tard, longtemps après, que je me suis calmé, j'ai réussi à me convaincre que c'est quelque chose de passager qui arrive à tout un chacun par manque de vitamines, de calories, tu sais... toutes ces bêtises avec la nourriture et nos théories.

« Puis, cela s'est reproduit. Après cinq mois passés sans aucun contact, un homme qui venait chez moi m'a proposé de parler au téléphone avec ma fille à l'étranger. Je ne sais pas comment il a eu la liaison ni où il travaille. J'étais fou de joie. Après tout ce temps, on a pu se parler. Le lendemain, cet homme est venu me voir, il était heureux que j'aie réussi et j'allais lui raconter notre conversation... Mais je ne me souvenais de rien. Pas un mot, une pensée, rien, absolument rien. Ce n'est que maintenant que je commence à saisir l'idée de Mladić quand il disait : « Etalez-leur la cervelle... » Ici, il n'y a plus rien, plus de mémoire, plus de souvenirs, on ne s'attend plus à rien. A chaque fois que je me dis que nous avons touché le fond, que rien ne peut être pire, une nouvelle strate apparaît, un nouveau précipice, un nouvel espace de souffrance. Toujours plus profond, plus noir, plus terrible... Et le pire, c'est que nous survivons. Je hais cette survie, j'en suis désespéré... »

Le feu

« ... On n'avait plus rien pour se chauffer. Depuis longtemps, on a découpé tout ce qu'on a pu, tapis, moquette, vieilles chaussures, chemises de nuit, pantalons, pulls... Le plus triste, c'était de jeter au feu les pages brillantes des magazines de mode, que nous achetions et lisions régulièrement dans les temps heureux. Mon amie et moi nous arrêtions sur les pages où souriaient des mannequins maquillées à la perfection, sveltes et bronzées. On se rendait compte qu'on fixait du regard des publicités pour de la nourriture, avec du jambon en tranches et des champignons, des fromages ou des pommes de terre ordinaires, joliment garnies. Avec des sentiments mélangés, entre tristesse et colère, nostalgie et résignation, on fourrait dans le petit poêle fait à la main toutes ces images qui, hier encore, faisaient partie de notre vie de tous les jours. Aujourd'hui, elles ne sont plus qu'un rêve venu de contrées lointaines et hors de notre portée.

« Finalement, ce fut le tour des livres. Ici, il y a toujours eu une relation particulière avec les livres. Peut-être pas pour les grandes et nobles raisons habituellement évoquées à leur sujet. Je ne sais pas pourquoi, mais les livres étaient inconsciemment repoussés derrière les tapis et les vêtements, il nous semblait que leur tour ne viendrait que quand ce serait véritablement la fin. Ils ont tenu longtemps, peut-être aussi parce que l'hiver était incroyablement doux. Et puis, on a d'abord pris de Mirjam, connue pour ses romans à l'eau de rose, *Le Péché de sa mère,* puis *Tout sur la beauté,* puis *La Cuisine traditionnelle*, dont nous n'avons jamais eu besoin ; ensuite, les révolutionnaires locaux et étrangers, différentes biographies et autobiographies, des ouvrages "révolutionnaires" et "contre-révolutionnaires".

« Un matin, je suis tombée sur un gros livre de Vladimir Dedijer, qui fut l'historien officiel du parti. Je ne me souviens pas du titre. Je sais qu'il faisait froid et qu'on voulait préparer le peu de café que nous avions reçu de quelque part. On voulait se réchauffer. J'avais à peine commencé à déchirer les premières pages, quand notre voisine Danka est entrée chez nous — c'est une femme âgée qui venait souvent nous voir. Elle avait le don de repérer immédiatement et sans erreur ce qui se passait à la maison : qui était chez nous, qui était reparti, ce qu'il y avait de nouveau dans la cuisine ou dans la casserole. Elle a toute de suite remarqué les premières pages qui disparaissaient dans le feu. Voyant le nom de l'auteur et le titre, elle nous a demandé assez fort, en accentuant bien les syllabes :

« — Vous brûlez ça parce que c'est un Serbe ?

« — Savez-vous, mère Danka, je le brûlerais même si c'était mon propre père qui l'avait écrit. Eh oui ! Et si c'était mon Rudo qui l'avait écrit, cela irait dès aujourd'hui au feu.

« — Allez, pour l'amour de Dieu, ne faites pas cela, donnez-moi le livre, que je le garde.

« — On vous le donnera si vous nous apportez du bois à la place du livre. Il faut bien brûler quelque chose, et c'est tout ce qui nous reste.

« Elle s'en est allée. Un peu plus tard, elle est apparue à la porte avec quelques planches de bois, assez longues, finement façonnées et peintes. Toutes ces planches, d'une largeur de cinq, six centimètres, portaient le même chiffre : 1994. Sur l'une d'elles on voyait nettement l'inscription "1971-1994". Sans aucun doute, c'étaient des croix du cimetière à proximité. Des croix provenant des tombes des gens enterrés ces derniers jours, car l'année 1994 venait de commencer. Il y avait là la marque de la tombe d'un Sarajévien âgé de vingt-trois ans seulement. Or on sait comment et pourquoi ils partent, à Sarajevo, les garçons de vingt-trois ans.

« — Mon Dieu, mère Danka, cela provient des tombes...

« — Que voulez-vous, papy, il faut bien survivre.

« — Nous non plus, avec le Dedijer, nous ne voulions rien d'autre que survivre.

« — Ce n'est pas pareil..., répondit Danka.

« Le livre est toujours chez elle. Et il y restera jusqu'à la dernière croix. »

Marija Tolj, qui m'a raconté cette histoire, est d'origine croate. Elle et son amie serbe Mira vivent à Sarajevo depuis le début de la guerre, de leur propre volonté. Elles sont venues quand la guerre a éclaté, après avoir quitté leurs maisons familiales de l'autre côté de l'encerclement, « pour être avec les leurs ». Les derniers jours de janvier, quand est tombée la première neige sérieuse, elles brûlaient les morceaux d'une vieille armoire de la terrasse. Il faisait bien chaud ces jours-là dans leur maison.

La ruse

« Pendant des jours, ils ont tourné autour de ma maison en croyant, probablement, que je me cacherais quand ils m'apporteraient l'appel pour la tranchée. Je t'avouerais que c'était un véritable plaisir de les observer à la dérobée, alors qu'ils ruminaient leurs plans pour m'attraper. Je tenais dans ma poche le papier attestant qu'ils ne pouvaient pas me prendre. Tu n'imagines pas leur stupéfaction quand ils ont cru m'avoir et que moi, je leur ai mis ce papier sous le nez. Je savais que la fois suivante, ils inventeraient un truc pour m'emmener, ne serait-ce que pour une relève. Alors, j'ai trouvé une ruse.

« Ils sont arrivés, ils m'ont emmené. Ils avaient de nouveaux papiers, en règle, et je n'y pouvais rien. "C'est pour trois jours, ont-ils dit. S'il n'y a pas de feu durant ces trois jours, tu auras eu du pot." Il n'y a pas eu de tirs : je n'avais rien d'autre à faire qu'à rester accroupi dans une tranchée, contre le mur d'un cimetière... et j'étais très content de les avoir eus, alors qu'ils se croyaient plus forts que moi. Car, mon vieux, j'ai bien profité de la trêve. J'ai écrit six poèmes ! Tu sais ce que c'est, six poèmes ? Combien de temps il me faut pour écrire six poèmes ? Deux mois, et encore ! »

Portraits de Sarajevo

Voici l'un des poèmes écrits dans la tranchée par Dragan Martinovič, économiste, *designer*, garçon de café et poète :

La canaille lance la guerre
Quand elle est lasse de ses pairs.
A quoi bon ces victoires
Puisque je vois la défaite
Les maladies m'accablent
La contagion me guette.
Le perdant c'est encore le Bien
La déroute est générale
La victoire c'est celle du Mal.
Riche de cet enseignement
Chaque balle me touche
Je crains pour moi-même
Ce qui m'arrive est louche.
Tous les gens normaux ont peur
Pour les idiots c'est égal
Ce qui nous entoure est sale
Et devrait être pur...

Dragan Martinović a présenté celui-ci ainsi que d'autres poèmes à un petit fonctionnaire municipal en charge des fonds de l'Etat pour les « activités culturelles ». Le petit bureaucrate l'a foudroyé du regard avant de lui assener, d'en haut :

— Les héros se font tuer, alors que toi, tu écris des poèmes...

— Je ne savais pas que Vladimir Nazor [poète célèbre qui a rejoint la Résistance pendant la Seconde

Guerre] était un criminel et un profiteur de guerre, a répliqué Dragan avant de sortir.

Deux jours plus tard, il était de nouveau dans la tranchée, très près du cimetière.

Dragan Martinovič, entre autres poète.

Là où n'habite pas le président

Dans la rue du Roi [croate]-Tomislav — si les « fidèles » n'ont pas déjà changé son nom — il y a un salon de coiffure, « DM », la propriété de Muhammed Dedajič, coiffeur pour hommes ou "barbier", comme on le dit depuis toujours à Sarajevo. En dépit de toute logique urbanistique et en dépit de l'aspect esthétique de la rue, la grande porte extérieure de son salon, à deux battants, est peinte en rouge et on la voit des collines alentour. Dans la rue de ce roi croate, dont le nom se balance au vent des nouveaux nationalismes, c'est la seule porte qui n'ait jamais été fermée, depuis le début de la guerre, pour personne : jeunes, vieux, militaires, civils, nantis et fauchés, désireux de débattre des dernières histoires et nouvelles, silencieux qui se taisent en fronçant les sourcils, tout le monde pouvait entrer. Pour l'amour de la vérité, et d'après l'aveu de Muhammed, disons quand même que cette fameuse porte est restée fermée un jour (jamais un samedi ou dimanche) : lorsque Sarajevo sauvait son honneur en lançant la guerre contre les chefs de la pègre, le fameux Caco et son pote Čelo.

« Pourquoi je venais tous les jours ? Qu'est-ce que j'en sais ? Que pouvais-je faire d'autre ? Tout le monde regardait par ici pour voir si ma porte allait ouvrir ou non. Si elle ouvre, les autres suivent. Mon voisin Zijo, cordonnier, et moi sommes comme un baromètre. Un voisin m'a dit cent fois : "Tu sais, Muhammed, quand tu es en retard, j'ai froid au cœur. Je me dis — c'est fini..." Mais il y a d'autres raisons pour que je travaille tous les jours. Souvent passent des gars avec des fusils qui me disent : "Vas-y, Muhammed, coupe-nous les cheveux, rase la barbe. Ce soir on va dans le combat à Kromolj, à Zlatište, à Poljine, on veut être beaux et propres". Ils rient et me taquinent.

« Puis, je dois être ici quand passe mon pote Avdo, qui travaille à Vodovod [entreprise qui gère les conduits d'eau]. Il vérifie tout le temps si tout va bien avec moi. Depuis le début, on vient ensemble au travail, son bureau est à deux pas. On passe par le parc, du côté de Ciglane [quartier] — en fait, *c'était* un parc, il n'y en a plus — et ça tonne de partout. Parfois, il y a une explosion près de nous, et comme de vrais gardiens de but on fait une parade dans l'herbe. Avdo se relève et me dit : "Celle-ci était bonne, tu es admis..." Une autre fois, et toujours souriant malgré les éclats d'obus, Avdo m'annonce, très critique : "Cette parade était nulle, regarde comme tu es sale..." Et c'est ainsi depuis des mois. Jusqu'à quand ? Je n'en sais rien. Probablement jusqu'à ce que mon copain Zdravko Grebo et moi soyons capables de faire ce que nous nous sommes juré l'un à l'autre, au tout début : on partira de Sarajevo pour une petite excursion là où on peut bien dormir, boire et manger quelque chose de succulent, quand on pourra être des voyageurs ordinaires, acheter à la gare un billet et monter dans un train. Dans n'importe quelle direction. Jusque-là, pour nous c'est la guerre et il faut coiffer l'armée et les autres. »

La porte rouge reste donc ouverte dans la rue « où n'habite plus le président Izetbegović ». C'est ainsi que le barbier Muhamed a indiqué l'adresse de son salon dans une émission à la radio de Zdravko [radio indépendante « Zid »]. Dix maisons plus bas, rue du Roi-Tomislav, habitait le président, il y a longtemps, au début de la guerre. Puis il a déménagé. Il reste à deviner pourquoi. Muhammed ne veut pas commenter. Il a peut-être déjà tout dit dans son annonce à la radio.

Le Terrible

Avant la guerre, du temps des photo-reporters lents et ennuyeux, on l'appelait « l'Eclair ». Inutile d'expliquer pourquoi. Il était toujours un pas devant les autres, là où il fallait, alors que les autres n'y étaient pas.

Dans la guerre, il a reçu le sobriquet « le Terrible ». Là aussi, inutile d'expliquer pourquoi. Il a fait une exposition de photos de Tito, arrachées, cassées, déchirées ou conservées, enveloppées et encadrées à nouveau, qu'il a trouvées dans ses errements dans les ruines de la ville, quand personne n'y allait sauf lui. L'exposition était à Skenderija [centre sportif], qu'on ne pouvait atteindre sans risquer sa peau, sans exposer son visage à la mire du *sniper* sur la colline.

Il disait, en souriant : « Celui qui n'a pas le courage de serrer les dents et de traverser le pont jusqu'à Skenderija, tant pis pour lui, il n'est pas digne de l'exposition. » Nombreux sont accourus, par le pont. Le vernissage était aux bougies et il a duré longtemps. Après, pour voir les photos, chacun devait apporter sa propre bougie. On le faisait. Le Terrible plaisantait, de cette manière calme qui lui est propre : « C'est comme une performance : la course, les *snipers*, les bougies et Tito. Que je meures si ce n'est pas cela. »

Portraits de Sarajevo

Milomir Kovačević, « le Terrible », « l'Eclair », est l'homme qui ne peut sortir du grand appartement — son trou — où ils étaient six et où aujourd'hui il est seul, sans que quelqu'un ne l'arrête et ne lui demande : « Où est ma photo ? — Ce sera fait », répond-il et c'est vrai. Il me semble que le seul qui ne lui ait pas demandé une photo est cet immense dinosaure dont la tête en plâtre, prise dans le musée dévasté, se trouve dans le « trou ». « Il n'a pas eu le temps, répond le Terrible, nous l'avons mangé avant qu'il ne s'organise dans la maison. Tu ne sens donc pas l'odeur de la viande séchée ?... » L'odeur, c'est celle du brûlis. Dans le voisinage il y a eu un incendie. De là-bas on entend une trompette. Un trompettiste a emménagé et il s'exerce toute la journée. « C'est le seul que je n'aie pas encore photographié, son tour viendra aussi, pour qu'on ne l'oublie pas. Tous ces gens seront oubliés un jour. Ceux qui se sont enfuis les premiers jours vont poser ici leurs derrières, ils reviendront quand tout sera fini pour prendre le pouvoir, en s'appropriant nos souvenirs. Ne serait-ce que pour moi-même, je veux avoir les visages des malheureux qui étaient ici quand c'était nécessaire. Qui sait, cela peut être utile... »

Quant à l'histoire, il n'y a pas d'histoire, voici quelques photos, si cela peut intéresser quelqu'un.

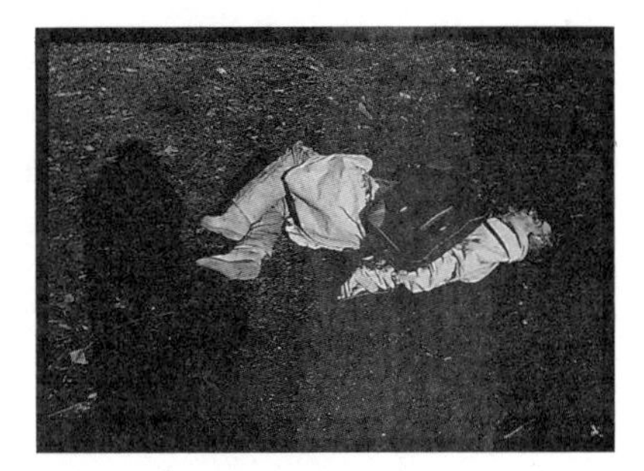

Un parfum pour l'Américaine

Celui qui vivrait au centre de Sarajevo et qui ne saurait pas où était, avant la guerre, la boutique « Bisera », ni où se trouve, aujourd'hui, le café du même nom, celui-ci ignorerait tout du vrai Sarajevo. Chez les Sarajéviens, il éveillerait la suspicion quant à sa véritable appartenance à la ville. Et cela parce que Bisera incarne tellement cette ville qu'il est impossible de ne pas la connaître. C'est une femme que les hommes ont regardée, pendant des années et encore aujourd'hui, en soupirant. Les seuls changements perceptibles, subtils jusqu'à la provocation, c'était son sourire toujours un peu plus large, ou un bracelet de plus, une bague de plus, un détail doré de plus sur sa robe. Plus que n'importe qui dans la ville, elle est prête à aider les misérables que la vie a privés d'une chose ou d'une autre.

Un jour, Bisera m'a demandé si elle devait recevoir chez elle « ces frimeurs de CNN », qui avaient l'intention de filmer une histoire sur les femmes de Sarajevo, leur matinée et les préparatifs de leur journée de travail. J'estimais qu'elle devait le faire, car si elle ne l'acceptait pas, quelqu'un d'autre le ferait, et ce ne serait pas la même chose. Quelques jours plus tard, je suis passé dans son café, et voici ce que j'ai entendu :

Portraits de Sarajevo

« Ils sont arrivés plus tôt que prévu : cameramen, techniciens, organisateurs, traducteurs et une dame "cossue", journaliste entre deux âges. Tu me connais : le corset, les fringues longues décolletées, puis la salle de bains, le maquillage, les serviettes propres et repassées, toutes en nuances, selon leur taille. Qu'est-ce qu'ils croient ? Que nous sommes pauvres et primitifs ? Quand j'ai plongé dans mes masques, poudres, parfums, ils sont restés bouche bée. C'étaient des vieilles réserves, mais quand même. Puis, je leur ai demandé s'ils souhaitaient prendre un whisky avec le café, des croissants et tout le reste. C'était comme par dépit, car je voyais bien qu'ils se croyaient les seuls à avoir droit à Revlon, Chanel, Cartier, que sais-je... Moi, je suis née avec cela, à Sarajevo, dans la maison de ma mère qui, elle aussi, connaissait tout cela. Tu sais ce qu'ils m'ont demandé quand j'ai sorti ma boîte à bijoux ? Si je me l'étais procurée pendant la guerre... Si seulement ils savaient tout ce que j'ai vendu pour l'armée et pour les pauvres. Quand j'ai fini de m'habiller et que j'ai pris ma fourrure sur le portemanteau, je n'ai pas pu résister en voyant l'Américaine, confuse, regarder mes parfums. Tu sais ce que j'ai fait ? J'ai pris le meilleur et je le lui ai offert. Peu importe. Elle sera contente, et moi je m'en fous. J'en trouverai un autre si j'en ai besoin. »

Leo news

A Sarajevo, il suffit de dire « Kula » pour que tout le monde sache de qui on parle. Ce ne peut être personne d'autre que Kula : ingénieur électronicien avant la guerre, informaticien, cybernéticien, père d'un fils unique Jan-Zlatan, éternel voyageur et blagueur. Aujourd'hui, Kula est la légende vivante de la ville. C'est lui qui creuse les tranchées sur Žuč, la cote de défense la plus célèbre de la ville; c'est lui qui vend toutes sortes de journaux, lui qui, tout seul, édite, rédige et lit à la radio son propre journal, *Leo news*. A la différence des autres journaux, *Leo news* est écrit à la main en un, deux ou trois exemplaires. Il peut être lu au centre de la ville, dans la petite rue Hasan-Kikić, accroché à la porte d'une vieille maison, légèrement en retrait sous la corniche pour que le papier puisse résister aux premiers assauts de la pluie ou de la neige. Au début, *Leo news* était une curiosité, aujourd'hui c'est la nourriture spirituelle des Sarajéviens. Malik Kulenovič, son auteur, rédacteur et éditeur, auparavant un simple citoyen, un simple Sarajévien, est devenu aujourd'hui Kula, un homme phénomène, un homme légende, un homme homme.

Dans le journal de Kula, on a pu lire :

« Une image de tous les jours : un vieillard, un bâton à la main, fouille dans la benne à ordures, retournant les boîtes. Son chien, pas mûr pour la situation, autrement dit trop petit, ne perd pas sa bonne humeur après dix assauts inefficaces contre la benne. Avec sa queue, il avertit le vieillard de sa présence. La faim, l'analphabétisme ou autre chose les ont empêchés de lire l'avertissement : "Ne dispersez pas la poubelle ! Tout ce qu'il y avait à manger, nous l'avons mangé ! Tout ce qu'il y avait à brûler, nous l'avons brûlé ! Merci de protéger l'environnement ! Signé : Les locataires de l'immeuble du numéro 15."

« Ce qui est nouveau dans cette scène, ce sont les photos, les albums déchirés, éparpillés sur le sol. Tous peuvent les voir : "Foto-Rekord" de 1939, une famille encadrée ; "Foto-Daskal", Makarska, 1964 : un âne, un grand-père avec sa petite-fille. Du moins, c'est ce qu'il nous semble. Une passante ramasse la photo et essuie la poussière, attentivement, avec amour. "Vous les connaissez ?" demande un autre passant curieux. "Non, mais je me dis, mon Dieu : qui détient aujourd'hui mes photos de l'appartement de Grbavica ? Je suis partie de chez moi en robe de chambre et en pantoufles, je n'ai même pas emporté l'album. Où sont aujourd'hui tous ces gens ?"

« Oui, où sont passés les gens de la photo ?

« Pendant un instant, tout le monde avait oublié le vieillard, le chiot, le travail, les tranchées : en moins de dix minutes, toutes les photos étaient dans la boîte, et la boîte soigneusement posée devant l'entrée du numéro 15.

« Ne rejetons pas les souvenirs. Ne laissons pas le feu dévorer le passé. Au nom de l'avenir. »

A la fin du texte, on lit : « Tiré des albums et des bennes. »

Ces derniers jours, Kula a écrit quelques nouveaux aphorismes, pour nous et pour son journal. Tous ont retenu celui-ci : « Le temps de la solidarité est venu : aidons l'Europe ! »

Le cordon de la vie

Vlado Mrkić est un copain, avec qui je n'ai peut-être jamais bu un pot en tête-à-tête, avec qui je n'ai partagé aucun grand moment. Et pourtant, je suis sûr depuis toujours que c'est un copain, qu'il ferait tout pour moi comme moi pour lui, et que cela l'ennuierait d'expliquer pourquoi il le fait; qu'il n'aurait pas non plus la patience d'écouter toutes ces histoires inutiles et creuses que les gens aiment tellement raconter et qui ne signifient strictement rien.

Je me souviens qu'il était le seul, absolument le seul, à avoir la volonté et le courage, pendant l'été torride de 1992, de monter dans une épave de Golf pour traverser Sarajevo d'un bout à l'autre. Alors que la ville était pilonnée et labourée par les obus, les bombes, les détonations et les tirs de tout calibre, et que nous étions prisonniers de l'immeuble d'*Oslobodjenje,* c'est lui qui nous apportait les textes dont nous avions besoin pour fabriquer le journal. Puis, à l'aube, avec cette même Golf, il revenait prendre le journal fraîchement imprimé, et de nouveau, par ce même chemin où seul un fou pouvait espérer passer, il fonçait vers le centre de Sarajevo où l'attendaient les collègues qui vendaient le journal. Jamais il n'a été loquace. Il y a longtemps, à l'époque où j'étais correspondant d'*Oslobodjenje* au Caire, je l'ai « descendu » de l'avion alors qu'il se rendait en Ethiopie, afin qu'il demeure quelques jours chez moi et visite un peu l'Egypte. Pendant les soirées, il écoutait les gens de l'ambassade, les directeurs des représentations commerciales et les autres qui travaillaient au Caire ressasser toujours la même histoire : comment et où déposer l'argent quand on rentre en Yougoslavie, qui offre les meilleurs taux d'intérêt, que faire de l'argent gagné. Il se taisait. Un soir, en pleine euphorie calculatrice, un « friqué » lui a demandé :

— Excusez-moi, vous qui venez du pays, à combien sont actuellement, dans nos banques, les intérêts sur six mois... ?

— Je n'en ai aucune idée, répondit Vlado, ce que je n'ai pas ne m'intéresse pas. C'est vous qui avez de l'argent, et vous devriez savoir qu'on ne pose pas ce genre de questions à ceux qui n'en ont pas.

Je me rappelle que cela a fait partir les gens, en silence... et bien après le départ de Vlado en Ethiopie puis à Sarajevo, personne ne parlait plus argent, investissement, profits et intérêts.

Une fois, un peu avant le début de la guerre en Bosnie-Herzégovine, Vlado a miné de la même manière une autre soirée. Il s'agissait cette fois de journalistes. Lui-même était l'un des rares à avoir fait le tour de l'ancienne Yougoslavie en se rendant aux endroits où commençaient à se fissurer les murs d'un pays heureux. Il était un témoin authentique des drames sanglants de Vukovar, Kozarac, Petrovo Selo, Ravno, etc., ce qui lui valait le prix annuel de journalisme d'*Oslobodjenje.* A la cérémonie de remise des prix, où tout le monde était présent, un

Qui sont ces idiots qui achètent des armes ? *Mustafa Mustafić-Pujdo.*

Après tout, comment être beau, au « Théâtre 55 », hiver 1994.

« On m'a étalé la cervelle. » *Zoran Bečić.*

Amra Zulfikarpasić.

Vive le HCR !

Le nouveau « quartier » au centre de la ville.

Comment manger un dinosaure.

Tu demandes comment ça va : « on est en vie, on est en vie ». *Kemal Monteno et Davorin Popović.*

Du pain pour une journée de plus.

L'homme qui aimait Pelé. *Tomislav Počanić.*

Y aura-t-il une intervention ? *Un lecteur d'*Oslobodenje.

La paix était meilleure. *Le peintre Ajan Ramić.*

Nermina Zildžo.

Ma mère attendant ses enfants et ses petits-enfants.

verre à la main et des morceaux de viande sur les fourchettes et les cure-dents, quelqu'un a fait passer un petit mot au président du jury :

« Personne ne m'a jamais demandé s'il était en droit de me décerner tel ou tel prix pour les textes que j'ai écrits et qu'*Oslobodjenje* a publiés. Vous n'avez pas ce droit : je n'ai pas cherché toutes ces souffrances à travers la Yougoslavie ni témoigné du sang et de la haine pour qu'on me décerne des prix et qu'on me donne de l'argent. C'est tout. Salutations, Vlado Mrkić. »

« J'y suis allé parce que je le devais, tout simplement, je devais être là où les choses se passent. Tu sais, c'était ainsi depuis le tout début, depuis le Kosovo. Je n'oublierai jamais notre chauffeur Zdravko, la nuit où, pour la première fois, en faisant route vers le Sud, nous avons vu une colonne de chars de l'ex-armée fédérale. Zdravko conduisait en silence à côté de la colonne, dans la nuit, et une larme coulait le long de sa joue. Il ne pouvait pas comprendre ce qui nous arrivait, qui se dressait contre qui, et pourquoi, après toutes ces années. Pour moi, c'était pareil. Plus tard, ce n'est pas par obligation que j'ai fait ce travail, alors que Zdravko et les autres refusaient de le faire. Je savais que, dans les bureaux, les rédacteurs buvaient du whisky pendant que je risquais ma peau. Je savais qu'on me disait fou. Mille fois ma femme m'a demandé : "Jusqu'à quand, Vlado, vas-tu faire cela, et pourquoi quelqu'un d'autre n'y va-t-il pas maintenant ?" Mais je ne pouvais pas renoncer. Et aujourd'hui, je referais la même chose, intégralement. Les prix sont destinés à ceux qui étaient prévus pour cela à l'avance, c'est à eux de les recevoir. Il en a toujours été ainsi. »

Dans le livre *Jamais plus ensemble,* qui est en réalité un recueil des reportages publiés dans *Oslobodjenje* depuis les jours où cela commençait à sentir la poudre jusqu'au milieu de 1993, il a rédigé toute une série d'histoires touchantes pour conclure que « le dernier espoir de voir la fin de cette guerre s'est évanoui », et qu'elle « durera longtemps, car ce qui dure le plus longtemps, c'est quand on tue notre âme ».

Il a écrit également une histoire intitulée *Le Cordon de la vie* : l'histoire d'une femme qui devait accoucher pendant la journée peut-être la pire de toute la guerre à Sarajevo. Il raconte comment il a amené cette femme inconnue aux urgences, a dû la laisser là-bas car on ne pouvait pas atteindre l'hôpital. Et il ne connaissait même pas son nom !

« Cette femme que j'ai rencontrée par hasard est restée dans un coin de la salle d'attente des urgences, avec son petit sac sur les genoux. Je ne lui ai adressé qu'un "bonne chance" et elle, comme si elle se parlait à elle-même, a chuchoté : "On se reverra peut-être un jour."

« Quelques jours plus tard, j'ai appris qu'elle avait eu un fils. Je ne sais rien de plus sur elle, ni où elle est maintenant, ni comment elle s'appelle, rien. Je sais uniquement qu'après cette rencontre je me suis senti soulagé.

« Je sais que cette femme qui, dans l'enfer d'une journée de guerre, est allée mettre au monde un homme nouveau, avec tant de joie sur le visage, constitue ce cordon de la vie qu'aucune guerre ne pourra interrompre... »

A la mi-janvier en 1994, j'ai rencontré Vlado à Sarajevo, dans la rue, courbé, l'air sombre et peut-être même triste. Je ne voulais pas lui demander ce qu'il avait, car c'est une question stupide en temps de guerre. On ne demande cela à personne. Si quelqu'un a quelque chose à vous dire, il le dira de lui-même. Et Vlado me l'a dit : dans un journal insignifiant, qui venait d'être créé dans Sarajevo, l'homme qui se veut président de l'Association des journalistes a écrit un texte sur les journalistes de la cinquième colonne, et il a mis Vlado sur cette liste. Je sais pourquoi. Parce que Vlado est serbe, et qu'il n'y a pas de place pour des gens comme lui dans les têtes de nos « patriotes nouveau style ». Parce que les « nouveaux héros » ne sont en fait que l'autre face de l'histoire de ceux des collines, qui détruisent Sarajevo et sur qui Vlado a écrit davantage de bons textes que tous les prétendus « héros » de la ville réunis.

Les différences entre ces « patriotes » et Vlado se mesurent au nombre de fois où mon camarade silencieux est monté dans la voiture pour porter des textes et des journaux d'un bout de la ville à l'autre, tout en trouvant un moment pour écrire alors que peu de gens le faisaient. Et lorsqu'il a su porter dans ses bras jusqu'à l'hôpital la femme qui constituait le « cordon de la vie ». Alors qu'eux, ces « génies » minuscules, ratés, n'ont rien fait de tel dans cette guerre.

« Tu sais, il y a trente ans, un camarade de classe m'a dit que nous nous empoignerions un jour. C'était il y a trente ans, et moi, même aujourd'hui, alors que le pire est arrivé, que j'ai tout vu de mes propres yeux, je n'y crois toujours pas. Et tu sais quoi : quand je disais que le pire n'allait pas arriver, mes textes parlaient autrement. On y voyait le mal venir. Comme si je ne croyais pas à mes propres textes. Comme s'ils m'avaient trahi. Ce sont eux qui avaient raison, pas moi. Et c'est cela qui est terrible...

« J'ai fait tout cela non parce que je le devais, mais parce que je le voulais. Parce que je suis comme cela. Et tu sais, je referais la même chose, pareil. J'en suis heureux, et je suis content que nous ne soyons pas tous les mêmes. »

Le chat

« Cet hiver, dans la maison de ma mère, comme d'ailleurs dans nombreuses maisons de Sarajevo, une souris est apparue. Une, puis une autre, et enfin toute une famille. A la maison, c'était la panique. Je n'ai jamais compris pourquoi les gens avaient peur de ces petites créatures si sympathiques. Quand j'étais petite, je les nourrissais en cachette, jusqu'à ce qu'on les découvre. Ça s'est mal terminé, tant pour moi que pour les souris. Mais cette fois-ci la situation était plus sérieuse : les souris de Sarajevo ne réagissent plus à la colle ni au blé empoisonné (vendu cinq marks dans la rue). Alors, ma mère s'est dit qu'il fallait attraper un chat. Les chats eux aussi devaient avoir faim... Elle est allée voir sa sœur dont la fille possédait depuis longtemps une chatte assez agressive. Mais, en dépit de tous leurs efforts de persuasion, la petite ne voulait pas prêter sa chatte pour une si sale besogne. Finalement, c'est dans l'entrée de l'immeuble que maman a remarqué un superbe matou noir et blanc. Visiblement très câlin, le chat s'est laissé emporter.

« Les problèmes ont commencé à la maison. Le prétendu chasseur ne se passionnait absolument pas pour le trou où apparaissait la petite souris grise. Il s'étirait paresseusement dans le fauteuil le plus proche du feu et ne bougeait pas une moustache quand on lui proposait du lait. Du lait ! A Sarajevo ! Une demi-heure plus tard, ma mère lui a cédé un morceau de viande en boîte, arrivée de l'étranger, dans un paquet envoyé Dieu sait quand. Mais la viande ne semblait pas l'intéresser davantage. Clairement, le chat venait d'un milieu où l'on ne mourait pas de faim.

« Alors qu'on se cassait la tête pour trouver une solution, le téléphone a sonné. C'était la sœur de maman : "Comment est-il, le chat que tu as emporté hier ?... Malheureuse, tu as pris le chat du Premier ministre ! On le cherche partout, des enfants ont dit que tu en as emporté un qui lui ressemble. Ramène-le vite ! Pauvres de nous..."

« J'ai éclaté de rire. Prendre le chat du Premier ministre pour chasser des souris ! Quelle absurdité ! Evidemment que c'est un chat pacifiste, jamais il ne se comportera comme un agresseur. Et puis, il ne peut pas boire du lait en poudre ni manger de la viande en boîte. Sans parler de pain et de riz. D'ailleurs, là où se trouve le chat du ministre, les souris dansent. On l'a ramené chez lui et on a continué à vivre avec nos petites souris. »

Amra Zulfikarpašić, peintre et designer.

L’enterrement

« Un ami est mort. Je n’ai pas pu aller à son enterrement. Je ne savais ni où ni quand il devait avoir lieu. Plus tard, un autre de mes amis a été tué. Nous nous connaissions depuis toujours. Nous étions encore ensemble une demi-heure avant qu’il ait été tué par un obus tiré de la colline. Quand je suis arrivé au cimetière où on l’a enterré, c’était déjà trop tard. Une chose semblable s’est produite avec mon ami, l’écrivain Tvrtko Kulenović ; il est arrivé au cimetière alors que la tombe de sa femme était déjà recouverte. Simplement parce que personne n’ose annoncer aux amis, aux voisins, à la famille, quand et où l’enterrement doit avoir lieu.

« Plus de cinquante Sarajéviens ont été tués par des obus ou des balles de *snipers* lors d’enterrements dans des cimetières improvisés. Au cimetière du Lion, dix fossoyeurs ont été tués dans ces conditions. Il n’est donc pas étonnant qu’il n’y ait plus de vrais enterrements, mais qu’on jette en vitesse les morts en terre, pour s’enfuir de ces lieux maudits, cible permanente des gens des collines. C’est pourquoi, dans les avis de décès de nos proches, publiés par les journaux, on peut lire cette formule absurde : “Enterrement au lieu et à l’heure prévus.” Et voilà où nous en sommes arrivés. Ils nous torturent, ils nous tuent et ils ne nous laissent même pas nous séparer dignement de nos morts. Pareille chose n'existe nulle part ailleurs. Même la loi de la jungle est plus clémente.

« Qui sont ces gens ? Comment sont-ils faits ? Songent-ils parfois qu'ils auront eux aussi quelqu'un à enterrer un jour ? Si au moins les mères avaient le droit d'accompagner leurs fils avant l'ultime voyage ! Quel est cet "universitaire", ce "spécialiste de Shakespeare", ce Monsieur Koljevič, le second homme de leur "République serbe", qui n'a jamais eu la force de dire à ces rigolos autour de lui — au nom de sa "shakespearologie" — qu'il ne faut pas tirer sur les cimetières, qu'il ne faut pas tuer les gens pendant les enterrements. Ne pas respecter les morts, c'est pire que haïr les vivants. C'est le dernier trait qui nous distingue des animaux. C'est la fin de tout... »

Fuko Hadžihalilović,
directeur du Collegium artisticum.

Le pistolet à gaz et les autres

« Des années avant la guerre, dans un village à côté de Gračanica, près de Tuzla, j'avais un ami, Fadil. Ces derniers mois, j'ai souvent pensé à lui, surtout en écoutant les informations à la radio, quand je me rendais compte que je ne souhaitais rien entendre de mauvais, que je voulais qu'on me raconte des mensonges, qu'on me prenne pour un idiot, pourvu qu'on me dise quelque chose de beau.

« Fadil, qui était un paysan, m'a demandé un jour de lui prêter un livre de vieux poèmes héroïques : "S'il te plaît, ne m'apporte pas de poèmes où les nôtres perdent, je ne veux que ceux où nous sommes vainqueurs." Loin de la ville, il forçait ses enfants à lui réciter tous les soirs des poèmes sur l'héroïsme. S'il arrivait à l'un de ses fils de négliger la demande du père et de dire quelques vers où "les nôtres" perdent, le garçon partait se coucher la joue brûlante de baffes. Observant les choses de son village, Fadil savait ce qui se passait, ce qui se disait, ce qui se préparait.

« J'ai revu Fadil à la veille de la guerre. Il m'a demandé, très sérieusement :

« — Dis-moi, est-ce qu'on achète des armes à Sarajevo ?

« — Certains en achètent, mais il n'y en a pas beaucoup.

« — Et toi, est-ce que tu as quelque chose ?

« — Comment, si j'ai quelque chose ? Que devrais-je avoir ?

« — As-tu un pistolet, un fusil, une mitraillette ?

« — Non.

« — As-tu cinq cents marks ?

« — Oui.

« — Alors tu es fou. Est-il possible d'avoir cinq cents marks et de n'avoir aucune arme à la maison ? Mon pauvre...

« Je me suis alors rappelé que j'avais à la maison, depuis des années, un pistolet à gaz, d'où aucune balle n'a jamais été tirée. En cachette, j'ai cherché ce pistolet, je l'ai examiné, tourné dans tous les sens, essayant de sortir du chargeur l'une de ses six balles. En "jouant" ainsi, j'ai tiré par hasard, mettant la maison sens dessus dessous : ma femme s'est précipitée dans la chambre, la fumée se répandait partout, les voisins sont accourus, je ne savais pas quoi leur dire. La seule phrase qui m'est venue à l'esprit, c'était : "Eh, mon Pujdo, on est des soldats de merde. Que dirait Fadil s'il te voyait..."

« Le lendemain, j'ai posé le pistolet au fond d'un tiroir, sous le lit, pour ne plus jamais le voir. Quelques mois plus tard, voilà Fadil "qui a un boulot à terminer en ville, avant de rentrer au plus vite dans son village paisible".

« "Paisible ?" lui demandai-je, stupéfait : je savais que dans les environs de Gračanica, ça tonnait de tous les côtés.

« “Eh oui, mon vieux. Dans mon village nous étions tout à fait prêts pour la guerre. Nous avions des fusils, des bombes et des mitraillettes, autant que nécessaire. Chaque maison avait quelque chose. Quand les rigolos sont venus nous attaquer, à chaque rafale, nous envoyions une rafale, à chaque bombe, une bombe... Ils ont plié bagage et rebroussé chemin. C’est ce qu’on appelle, vois-tu, l’équilibre des forces. C’est bien fait pour vous. Je te l’avais bien dit, avant la guerre. Mais tu regrettais tes cinq cents marks.”

« Evidemment, je n’ai pas osé lui raconter l’incident du pistolet. Cinq cents marks ! J’en aurais donné dix mille, si je les avais eus, pour qu’on ne me mette pas un de ces machins entre les mains. Mais maintenant je me dis que Fadil avait raison : c’est bien fait pour nous. »

Mustafa Mustafić-Pujdo, cameraman.

La flamme et les larmes

« C'était il y a longtemps, le 18 mai 1978 : notre petit groupe de journalistes sarajéviens suivait la réunion du Comité international olympique à Athènes où devait être choisie la ville qui accueillerait les XIVe jeux Olympiques d'hiver. Trois candidats étaient en lice : Saporo (Japon), Göteborg (Suède) et Sarajevo (Bosnie-Herzégovine). Les Suédois et les Japonais étaient sûrs d'eux et détendus, car probablement considérés comme favoris, alors que nous étions silencieux et timides.

« Lord Killanin, le président du CIO, est arrivé aux marches de l'édifice où avaient eu lieu les délibérations. Lui connaissait la décision. A ce moment, pour la première fois, selon les nouvelles règles, les autres membres du Comité ne la connaissaient pas, car il s'agissait du second tour de vote. La nouvelle annoncée par Lord Killanin était la plus heureuse que nous eussions pu imaginer : en 1984, c'est Sarajevo qui serait l'hôte des XIVe jeux Olympiques. Trois cents journalistes venus du monde entier avaient suivi cette réunion. Evidemment, en quelques instants, toutes les cabines téléphoniques de l'hôtel Karavel à Athènes furent prises d'assaut. Les Japonais et les Suédois avaient des lignes ouvertes avec leurs rédactions. Moi, reporter de Radio Sarajevo, je m'étais appliqué, au cours des jours précédents, à gagner la sympathie de l'opératrice d'une poste athénienne. Grâce aux petites attentions et aux cadeaux, elle m'a donné la ligne avant les autres. A Sarajevo, c'est le présentateur Rinko Golubovič qui m'a répondu. Très ému, je lui ai demandé d'interrompre le programme — c'était un peu avant deux heures de l'après-midi — pour annoncer la nouvelle d'importance historique pour nous. Jamais auparavant Radio Sarajevo n'avait interrompu ses émissions et Rinko devait évidemment consulter le rédacteur en chef de l'époque, Ivica Mišić. Ivica a accepté, ils ont diffusé le *jingle* — c'était l'arrangement de la chanson connue *Tito traverse la Romanija* — et les auditeurs ont dû croire que quelque chose de terrible venait de se produire, que c'était peut-être la guerre. Mais c'était moi, avec l'annonce que Sarajevo venait d'être choisie pour accueillir les jeux Olympiques. Cette information a traversé la ville en un éclair : dans les rues, dans les restaurants et les cafés, dans les maisons, dans les tramways, tout le monde klaxonnait, chantait, poussait des cris de joie. Sarajevo est vite devenue un chantier, les grosses machines ont commencé à labourer les collines alentour. Dans Jahorina, Bjelašnica, Igman, des routes ont été construites, ainsi que des centres sportifs, des hôtels... On sait comment Sarajevo a organisé ces jeux. C'était un conte de fées dans la neige. Comme tout le monde le disait à l'époque, c'étaient les jeux le mieux organisés dans l'histoire de l'olympisme. En effet, ces jeux étaient dignes de l'idée olympique, du plus beau message véhiculé par cette idée. A Sarajevo, il n'y a pas eu de boycottage. Tous ceux qui tenaient au sport sont venus : les Américains avec leurs amis et alliés, les Soviétiques avec "les leurs". Sarajevo était réellement au-dessus de la politique et au-dessus des divisions — Sarajevo, qui vivait au nom de l'humanisme, au nom de l'homme et au nom du sport.

« Cependant, des moments tragiques sont venus pour Sarajevo. Notre ville est pilonnée et ravagée. Un jour, me voici devenu reporter de guerre. Le travail le plus triste que j'aie fait fut le reportage sur l'incendie du grand centre sportif Zetra. Je me suis trouvé parmi les pompiers qui essayaient d'éteindre le feu qui dévorait la superbe salle touchée par des balles incendiaires. Sur place, il y avait plusieurs voitures de pompiers arrivées immédiatement, mais c'était l'eau qui posait problème. Ce qu'ils avaient dans les réservoirs a été vite épuisé. Quand ils ont passé aux bouches d'incendie, il est devenu clair que cela ne suffirait pas : la pression était au plus bas — on avait déjà commencé à fermer les conduites d'eau vers Sarajevo — et les pompes ne pouvaient pas tirer le minimum d'eau nécessaire pour fonctionner. Zetra disparaissait dans les flammes. Le directeur du centre, Enes Terzić, est arrivé sur les lieux, j'ai fait une interview de lui. Il s'est mis à pleurer... moi aussi. Les architectes Djapa et Alikalfić sont venus, les ouvriers qui ont construit Zetra également, mais on n'y pouvait rien. Cette nuit, sous le ciel embrasé de Sarajevo, où s'évanouissait l'enfant chéri architectural de l'Olympiade, où l'on nous a détruit une partie de notre identité humaine et sportive — mais pas nous-mêmes —, nous avons juré de construire un jour une Zetra plus grande est plus belle... »

Nikola Bilić, le doyen des radio-reporters sportifs de Sarajevo, celui qui a interrompu le programme pour la première fois dans l'histoire de la radio de Bosnie-Herzégovine pour annoncer la superbe nouvelle d'Athènes, ne pouvait pas arrêter ses larmes seize ans après cet événement et deux ans après l'incendie de Zetra, pendant qu'il racontait cette histoire. Comment ne pas pleurer ? Si vous arrivez à approcher cette ancienne beauté — gisant au bas des collines d'où l'on tue et détruit —, vous la verrez pliée sous des tonnes de ce qui reste d'un toit de cuivre, et comme soutenue par des centaines de nouvelles tombes creusées à côté, sur un terrain de football. C'est dans ce cimetière que se trouve aujourd'hui, semble-t-il, la demeure éternelle de Pierre de Coubertin, le père fondateur des jeux Olympiques, qui a passé ses plus belles journées à Sarajevo, et qui est mort ici...

Le dépit bosniaque

« Aujourd'hui, c'est le 674ᵉ jour du siège de Sarajevo, le lendemain des atrocités au marché du centre ville. Cela fait six cent soixante-quatorze jours que je suis ici, sur les mêmes mille mètres carrés, pas un pas à l'extérieur de ce cercle vicieux. Amis, famille, entreprise, obus, concerts, mort : tout sur le même kilomètre carré. Hier, quand ça a explosé, nous étions à deux cent mètres, à la cérémonie de la remise des prix aux meilleurs sportifs de l'année à Sarajevo. Je dis bien : les meilleurs sportifs ! Près de trois cents invités sont venus voir, rencontrer des amis. A ce moment, à cent mètres de là, dans l'immeuble de la Présidence de la République, il y avait le centième concert du quatuor à cordes de Sarajevo. Environ deux cents personnes assistaient au concert. Une demi-heure plus tard, à une centaine de mètres du marché, devait commencer un spectacle au Théâtre de chambre 55. Quand on a entendu le fracas, on savait que cela devait être terrible : samedi vers midi, le marché, des centaines de gens au même endroit. En effet, c'était terrible. Affreux. Je sais que ceux qui sont liés, de par leur profession, à la souffrance sont partis immédiatement apporter du secours. Pendant quelques instants, les organisateurs de la cérémonie se sont demandés s'ils allaient continuer ou non. Ils ont continué. Le concert à la Présidence est également allé jusqu'au bout. Mozart, Beethoven, Bach... Le spectacle au théâtre a commencé à l'heure, dans un silence pesant. Personne n'avait besoin d'expliquer pourquoi cela était possible. A Sarajevo, on ne peut faire autrement. Sinon, ce ne serait pas Sarajevo. Je ne sais pas comment l'appeler, ni si on peut le traduire dans une autre langue, mais selon moi le seul mot juste pour cela c'est *pasjaluk*, le dépit bosniaque. Voilà, c'est avec dépit que nous fonctionnons.

« Je me souviens que je suis parti du poste de directeur du journal *Oslobodjenje* parce que l'ensemble de la direction de la République m'avait tourné le dos, alors que je ne faisais que défendre les principes contre la friponnerie dans ma profession. Je suis heureux d'avoir agi ainsi. Et puis nous étions une poignée dans la direction de l'ex-Yougoslavie à nous opposer ouvertement à Milošević, en essayant de montrer où allaient nous mener son nationalisme et son fascisme. On nous a remplacés, mais peu importe. J'étais content parce que nous n'avons pas cédé. Plus tard, j'ai fondé avec quelques copains une compagnie aérienne. Tous nous disaient que c'était fou et que ce n'était pas un jeu d'enfant. En quatre mois et huit jours, nous avons effectué plus de sept cents vols et avons transporté quarante mille passagers, pour la plupart sur des lignes étrangères. On a commencé de zéro, en quatre mois notre chiffre d'affaires était de trois millions et demi de dollars. Puis ce fut la guerre, cet endroit, ici, a été bombardé trois fois. On a réparé, cela recommencera. Tant pis. Je sais qu'avec de la persévérance on peut toujours recommencer. Voilà, nous avons des projets pour un nouveau début, pour le jour où les destructions s'arrêteront. Cela doit s'arrêter. Cela aurait peut-être été normal, au début, de prendre mon propre avion, qui était à la disposition de la compagnie, et de partir avec toute ma famille dans un endroit sûr. Mais pour moi cela ne pouvait être normal. Pour aucun Sarajévien. Je ne dis pas que je ne ferai rien pour mes enfants, je ne dis pas qu'il resteront pour le troisième hiver consécutif dans les mêmes conditions, mais je sais où est ma place, jusqu'au bout. Jusqu'au nouveau début dans cette ville qui fera partie du monde civilisé. Si tu trouves que c'est du dépit, soit. C'est peut-être autre chose. Seulement, je sais que cela ne pouvait être autrement si on voulait conserver le droit de se regarder dans un miroir...

Muhammed Abadžić,
propriétaire et directeur d'AIR-COMERC.

Lettre à Son Excellence

Nada Salom est journaliste, Sarajévienne, serbe par sa mère, slovène par son père, juive par son nom de famille, un amour par son cœur, et mon unique véritable camarade de classe, ma vraie copine après toutes les expériences traversées. Un jour, après une brève « sortie », elle est rentrée dans sa ville, elle a ouvert la porte de la rédaction d'*Oslobodjenje*, et m'a lancé, les yeux un peu mouillés : « Zlatko, je sais tout maintenant, j'ai compris. Mon Dieu, comme je suis heureuse d'être ici. »

Cela fait vingt ans que nous travaillons ensemble à *Oslobodjenje*, que nous déménageons d'un poste à l'autre, pratiquement toujours ensemble. Cela fait vingt ans que nous nous souvenons ensemble des jours passés au lycée, de nos débuts journalistiques dans *Polet*, le journal de l'école, de nos premiers poèmes et dessins. Elle évoque régulièrement une tour Eiffel que j'ai dessinée pour *Polet*. Elle existe toujours, paraît-il, et j'ai honte de reconnaître que je ne vois absolument pas de quelle tour Eiffel elle parle. Pas plus que des centaines d'histoires sur lesquelles elle revient et qu'on racontait jadis, dans cette Sarajevo qui fut la nôtre. Ce dont je me souviens, c'est un voyage que nous avons fait avec des amis, en Egypte, à la veille de la guerre. Je me souviens de sa fascination pour la lumière là-bas, pour le Sinaï, pour le monastère Sainte-

Catherine. Nous nous sommes jurés d'y retourner. L'idée que la guerre venait de commencer ne nous a même pas effleurés, nous, enfants de Sarajevo. La guerre ? Alors que la mèche était déjà allumée. Quels idiots nous étions !

Puis le fils de Nada, Robert, est parti en Angleterre. Il était tout pour elle. Au début, c'étaient des conversations au téléphone, ensuite des lettres, sporadiques, celles qui voyagent deux à trois mois. Enfin, ce fut le silence total.

Un jour, on nous a annoncé de Strasbourg que *Oslobodjenje* venait de recevoir le prix Sakharov pour l'année 1993, décerné par le Parlement européen. (Ils avaient besoin de calmer leur conscience.) Il a été dit que nous serions trois membres de la rédaction présents à la remise du prix. Il m'a semblé à l'époque, tout comme je le crois aujourd'hui, que Nada devait aller à Strasbourg. Durant les deux années de guerre, Nada a obstinément travaillé à *Oslobodjenje* sur des sujets qui nous paraissaient à tous dérisoires : c'était la rubrique « culture ». Mais avec le temps, il s'est avéré que c'était précisément cela qui reflétait la vraie Sarajevo. Je savais aussi que c'était l'occasion unique pour Nada d'aller à Londres, de voir son fils et de se « recharger » pour une nouvelle centaine de jours de guerre à Sarajevo.

Je ne saurai jamais avec certitude pourquoi la chambre de Nada au Sofitel de Strasbourg était vide la semaine de la remise du prix. Tout semblait arrangé pour son voyage, mais quelque part, très certainement à Sarajevo, quelqu'un a donné un coup de frein. Nada n'a pas pu arriver à temps à Strasbourg. Les respectables représentants anglais au Parlement, qui fêtaient ce prix avec nous et qui n'avaient qu'à ouvrir la bouche pour qu'elle obtienne un visa touristique de quatorze jours pour le Royaume Uni, sont rentrés chez eux à Noël. Ma copine a été condamnée à tourner en rond en Slovénie pendant des semaines. Puis on a appris à Sarajevo qu'elle avait réussi à débarquer sur « l'île ». Il y a eu beaucoup de spéculations, sauf sur une chose : personne ne doutait que Nada allait revenir. Même pas ceux qui, très vraisemblablement, l'avaient empêchée d'arriver à Strasbourg.

Début février 1994, la veille du massacre au marché Markale, Nada Salom est arrivée à Sarajevo, changée. Par l'intermédiaire des amis, elle a envoyé une lettre à Son Excellence Mr. Brian Sparow, l'ambassadeur britannique en Croatie.

Votre Excellence,

Je ne sais pas par où commencer cette lettre. Je ne suis pas encore en mesure, comme on le dit chez nous, de retrouver mes esprits après ma première sortie et mon premier retour à Sarajevo. J'espère que vous me pardonnerez ma confusion, comme je l'espère pour les trois cents personnes à qui je souhaitais apporter une lettre de leurs proches. Toutes ces lettres commencent ainsi : « J'ai l'occasion d'envoyer une lettre par une journaliste qui retourne à Sarajevo. Excuse-moi de t'écrire avec tant de confusion, il est difficile d'écrire en vitesse et d'être bref. En effet, la journaliste ne peut emporter que cinq ou six lettres, elles seront toutes sans enveloppe, autrement dit elle les mélangera avec son courrier... »

C'est ce que j'ai fait et j'ai réussi à en apporter un tiers dans mes bagages. J'attends toujours le sac qui contient mes affaires personnelles et le reste du courrier et qui doit arriver par « une connexion spéciale ». Pendant que je trie les lettres, en mettant de côté celles qui sont effectivement pour moi ou pour ma famille, je me demande s'il existe un moyen de vous envoyer une carte postale de Sarajevo. C'est ce que j'ai souhaité faire le 13 janvier 1994, en sortant de la tour Cibona à Zagreb, où se trouve votre ambassade. Je n'oublierai jamais ce matin ni la joie de ma collègue Lidija Kršlak, qui travaille « temporairement » à Zagreb. Cette fois-ci, je pleurais de bonheur, en serrant dans mes mains mon passeport bleu avec des lis et qui contenait mon visa : « Valid for presentation at a United Kingdom port until 13 jul. 1994, date 13 jan. 1994. »

Ce matin-là, tout s'est passé sans entraves. Quand je suis arrivée à la porte de votre ambassade, l'aimable employé m'a demandé mon passeport, sans plus, et quelques minutes plus tard, il me l'a rendu avec le visa.

Votre Excellence — *vous vous souviendrez que c'est ainsi que commençait la lettre que vous a adressée en son nom ou plutôt au nom d'Oslobodjenje le directeur général du journal pour lequel je travaille depuis plus de vingt ans. C'était après le 30 décembre 1993, la date où on m'a refusé le visa. A ce moment, vous n'étiez pas à Zagreb. Votre employé s'acquittait correctement de son travail. Le fait que je vienne de Sarajevo, en Bosnie-Herzégovine, était l'argument fort rendant insignifiants tous les papiers qui justifiaient mon voyage dans votre pays. A la suite de deux entretiens à titre informatif, on m'a communiqué le refus (sous forme d'imprimé) : « Vous avez demandé un visa pour vous rendre en Grande-Bretagne pour une durée de deux semaines, mais je ne suis pas sûr que vous quitterez la Grande-Bretagne à la fin de votre séjour. Vous avez peu de raisons de retourner dans votre ville, Sarajevo, où la situation est particulièrement difficile. »*

Mon Dieu ! Je comprimais mes tempes pour que le sang ne jaillisse pas, pour que ma tête n'éclate pas. Le monde entier serait donc devenu fou ?! Comment l'employé qui, au cours de notre entretien, ne m'a posé aucune question sur la situation à Sarajevo, peut-il écrire une chose pareille ? J'avais envie de hurler devant la porte fermée de l'ambassade. C'était le 30 décembre, les gens couraient chez eux, c'était une ambiance des fêtes. Qui a le droit de me dire à moi ou à quiconque une chose pareille ? Même si nous sommes tout à fait anormaux, nous sommes Sarajevo. Ce sont les gens et non les immeubles qui font les villes, vous le savez bien, Votre Excellence. Cela vaut aussi pour Londres, votre capitale, où — comme j'ai pu le voir — il y a suffisamment de place pour une vie normale de centaines de nos réfugiés.

J'ai eu la chance de retourner dans ma ville et je me demande depuis ce moment comment vous joindre. Je le fais en me servant de mon privilège de journaliste. Ce n'est qu'ainsi que j'existe. En tant que citoyenne de mon pays, je ne peux aller nulle part. Mon passeport est un chiffon. On pourrait faire couler beaucoup d'encre au sujet des visas, des demandes d'asile, des lettres de garantie, etc. Et surtout sur la question que me posaient constamment mes compatriotes : quand et comment vont-ils revenir chez eux ?

Vous avez déjà vu une carte postale de Sarajevo, par l'intermédiaire des caméras de télévision, le 5 février 1994, le lendemain de mon retour à Sarajevo. Vous avez pu voir notamment le quartier de la cathédrale, le marché Markale. Une fois de plus, j'ai eu de la chance. Je ne suis pas arrivée au marché, car je me suis attardée chez des gens. Ce jour-là, à bout de forces, en tressaillant, je m'efforçais de regarder les images à la télévision. Comme le dit le poète Avdo Sidran, ce sont tous les miens. Je les connaissais tous, je les reconnaissais pendant le duplex Pale-Belgrade où on expliquait que c'étaient des cadavres anciens, des morceaux de mannequins en plastique. Pendant que j'entendais mon cœur battre, les « experts militaires » m'expliquaient qu'il s'agissait « d'une mine antipersonnel, statique ou bondissante, dont l'éclatement a une action mortelle et que nous apportons et posons nous-mêmes, avant de nous cacher derrière un autre passant. Le tableau des tirs en conditions optimales montre que sur mille huit cents éclats seuls quatre cents tuent les animaux dans le polygone... » J'avais un cratère dans le ventre en écoutant ces explications. Je composai cette lettre, car je sais que vous êtes en chair et en os, que je ne suis pas un mannequin de cire, que je suis allée dans votre pays, que je suis rentrée dans ma ville — « Sarajevo, où la situation est particulièrement difficile ».

Je vous remercie encore une fois de la confiance que vous m'avez témoignée en m'accordant le visa pour visiter votre pays. J'espère que vous viendrez un jour dans ma ville, pour que je puisse vous montrer ce que nous appelons « la résistance culturelle et spirituelle », pour que je vous lise quelques lignes de notre littérature... de Andrić, par exemple : « Dieu a détourné son visage un instant, en laissant le monde dans l'obscurité, et vous hurlez : " Victoire ! Il n'y a pas de victoire, ce n'est qu'un petit mensonge sanglant et un grand malheur... »

En vous priant d'agréer mes meilleures salutations,

Nada Salom.

Telle était donc la lettre adressée à Son Excellence l'ambassadeur britannique à Zagreb. Que j'aime ma copine Nada ! On continuera ensemble dans les rédactions, dans les voyages, avec notre bande sarajévienne. En revanche, je ne suis pas si sûr d'aller dans ces pays terriblement importants et civilisés. Il faut beaucoup écrire à leurs ambassadeurs pour y pénétrer brièvement, voir quelqu'un de nos proches et connaître une miette de leur civilisation si importante. On peut connaître la civilisation, du moins je l'espère, même aux endroits accessibles sans visa. A Sarajevo, par exemple.

Les obus

— Mamie, vous ne voyez donc pas que ça tombe de partout ? Il ne faut pas rester au milieu de la rue. Cachez-vous un peu, le temps que ça passe... un obus vous tuera, mamie !

— Mais justement, c'est pour cela que je marche au milieu, pour qu'il me tue. Mais il ne veut pas, mon fils... hélas ! il ne veut pas, et cela fait des mois que j'essaye...

Rue de Tito, le 2 janvier 1994.

Miracle ordinaire

Durant ces jours et ces années sombres de guerre en Bosnie-Herzégovine, le monde s'est obstiné à fermer toutes les portes qui auraient pu éclairer ce théâtre de guerre, ne serait-ce qu'un instant, d'un rayon d'optimisme et d'espoir. S'il reste encore un peu d'espoir à la fin de la deuxième année de solitude, c'est grâce à ceux qui ne prenaient pas pour miracles ce que le monde proclamait comme tels. Ce sont des gens d'un enthousiasme et d'une volonté sans limites qui rendaient normaux et quotidiens des événements considérés comme impossibles par ceux de l'extérieur. Taib Šahinpašić, libraire et antiquaire sarajévien, a offert à sa ville dévastée un tel « miracle ordinaire », en mars 1993 : c'était une exposition de livres étrangers de tous genres. Dans l'ancien musée de Littérature, à deux pas des quais dangereux et déserts de la Miljacka, un matin, on a vu apparaître une exposition de livres. Par sa richesse, par le nombre de titres, par sa diversité et sa qualité, elle aurait pu avoir sa place à un endroit plus représentatif en temps normal. Taib Šahinpašić a entrouvert la porte de l'optimisme, il a rendu la foi dans l'avenir, il a giflé les primitifs qui avaient depuis longtemps brûlé tous les livres qu'ils ont pu atteindre, au nom de la force brute. Il a ramené Sarajevo dans le cercle des informations et de l'intelligence qui suit les chemins bâtis de la civilisation.

« Ces jours-là, je lévitais plus que je ne marchais sur la terre ferme. Plusieurs centaines de personnes sont venues au vernissage, les tirs étaient affreux. Les gens s'arrêtaient à l'entrée du musée, leurs visages trahissaient d'abord la stupéfaction, puis s'éclairaient de larges sourires. Etudiants, professeurs, académiciens, couples d'amoureux ou gamins inconnus venaient pendant des jours et restaient pendant des heures, à feuiller ces merveilles de l'autre monde, qui s'étaient trouvées chez moi à la veille de la guerre. Certains de ces livres portaient même la date de la première année de guerre : 1992. J'étais terriblement fier de moi, de Sarajevo, de tout le monde ici. Puis un journaliste étranger m'a demandé comment cela était possible, ne croyais-je pas que c'était un miracle ? Absolument pas, puisque je n'aurais pas pu avoir cinq mille titres étrangers dans ma librairie privée si le livre était un miracle à Sarajevo. D'ailleurs, c'est tout le contraire, seulement ceux de là-bas s'obstinent à l'ignorer. L'étonnement devant le livre n'est pas propre à Sarajevo.

« Je me souviens, j'ai eu une autre idée à l'époque. Une fois tous les deux ans, par exemple, il faudrait organiser ici un grand Salon international du livre. C'est ce que méritent tous ceux qui ont passé des jours plongés dans la lecture, pendant la guerre. Je l'ai vraiment décidé et si personne ne veut m'aider, je le ferai seul. Coûte que coûte. »

Taib, homme ordinaire, approvisionne quotidiennement les Sarajéviens ordinaires en livres. Il les achète, les vend, les offre ou les met à l'abri pour des temps meilleurs, en rêvant continuellement au grand Salon international du livre à Sarajevo. Comme si ce qu'il a fait en mars 1993 n'était pas suffisamment grand. Il est certain qu'il n'aura pas à organiser ce salon tout seul, comme il l'a dit. Des lettres arrivent à tout moment à Sarajevo, de la part des éditeurs étrangers qui ont compris de quelle genre de ville et de population il s'agit ici. Les offres sont honnêtes et sérieuses. Sans aucun doute, Sarajevo aura son Salon du livre. Le seul problème, dit Taiƀ Sahinpašić, c'est que les premiers salons devront durer très longtemps, « pour que les gens rattrapent leur retard dans la lecture. Après, ce sera plus facile »...

L'enlèvement de Clinton

La radio Zid de Sarajevo a diffusé le 28 janvier 1994, tard dans la nuit, « la nouvelle du jour » : le voyou sarajévien, Džemo, installé depuis longtemps quelque part aux Etats-Unis, a réussi, après plusieurs tentatives, à enlever le président américain Bill Clinton. La nouvelle affirmait que Džemo avait disparu avec Clinton et que quelques heures après l'opération il avait téléphoné à une chaîne de télévision américaine. Il avait annoncé qu'il allait emmener Clinton à Sarajevo pour lui montrer ce qui se passait ici ou bien qu'il lui arracherait les yeux et les apporterait à Sarajevo pour que le président « puisse voir » la situation dans la ville martyre.

Bien évidemment, cette « nouvelle » s'inscrivait dans la ligne de radio Zid, depuis longtemps en harmonie avec l'état général de chaque Sarajévien urbanisé : tout drame, y compris le nôtre, finit par devenir grotesque, et ce qui se produit à partir de ce moment n'est que partie intégrante de la folie généralisée qui règne à Sarajevo depuis déjà deux ans.

Des centaines d'auditeurs de Zid ont spontanément accepté l'histoire, et se sont employés à rajouter au tumulte provoqué une information produite par leur propre imagination. La résistance à la « clintonisation » et à la « mitterrandisation » du monde devenait sur les ondes un jeu unique auquel chacun voulait participer à sa manière. Des gens téléphonaient en affirmant qu'ils connaissaient Džemo qui « était certainement parti à Washington pour enlever le président, cela lui ressemblait beaucoup ». Certains disaient qu'ils étaient des « voisins de Džemo, et que c'était vrai qu'il était prêt à arracher les yeux à n'importe qui pour Sarajevo ». Un « camarade de classe » de Džemo insistait sur le fait que la nouvelle était « à cent pour cent vraie, car je connais bien mon pote, c'est un vrai mec et ami, et quand il est en colère il dit toujours qu'il arrachera les yeux à quelqu'un ».

L'histoire voyageait dans la nuit et prenait l'apparence de quelque chose de vrai, même si tous savaient que radio Zid ne faisait rien d'autre que de fabriquer de l'humour noir à partir de la souffrance, de la nuit et de la folie. Mais la moitié de Sarajevo prenait beaucoup de plaisir à participer à ce jeu.

J'ai un voisin qui s'appelle Nino et qui était, avant la guerre, chauffeur dans une grande entreprise de Sarajevo, « Hidrogradnja ». Il est invalide depuis cet obus tristement célèbre tombé devant la boulangerie rue Vasa-Miskin. Aujourd'hui, il a ouvert un atelier dans son parking où il résout tous les soucis techniques des locataires de son immeuble.

Nino a entendu l'histoire de l'enlèvement tout à fait autrement. Il aurait bien tout compris, mais le problème c'est que lui et sa femme Mina dormaient pendant le début de l'affaire. Ils sont entrés dans l'histoire d'abord en rigolant, puis en se regardant fixement dans la pénombre de leur chambre éclairée à la bougie. Enfin, inconsciemment, ils ont commencé à se taire pour entendre chaque mot diffusé par la radio. D'abord, c'étaient des politiciens locaux qui expliquaient que « l'entreprise de M. Džemo pouvait avoir des contre-effets pour notre jeune démocratie » ; puis c'était le combattant Suljo de la « première ligne » qui disait à un politicien d'« arrêter de chier, de prendre plutôt un fusil et de venir se battre, et en ce qui concerne Džemo, il est Dieu et chapeau de la part des camarades de la tranchée ». La polémique s'aiguisait, le reporter de la radio essayait d'avoir l'Amérique pour se brancher sur leurs programmes, car « ça doit être le chaos là-bas ». Un auditeur a proposé de faire la collecte pour des cigarettes et « pour l'aide humanitaire pour Džemo quand il sera mis en prison, car l'Amérique est très puissante et notre pauvre pote sera attrapé un jour ou l'autre ».

Vers minuit, Nino et sa femme Mina ont commencé à chercher d'autres stations, notamment la Radio Sarajevo officielle, pour entendre ce qu'elles disaient au sujet de la « nouvelle » du jour. La folie, l'imagination, la fiction et la réalité se sont complètement entremêlées en cette seule nuit, dans cet enchevêtrement d'appels et d'histoires où tous savaient de quoi il s'agissait. Seulement, tout était si probable et si vrai.

La radio officielle n'en disait rien. Pas un traître mot. « Mon Dieu, Mina, comment est-ce possible ? Qui est fou ici ? — Laisse tomber, personne n'est fou, vas-y vite, habille-toi et cours à Vratnik chercher notre fille, tu vois que cela ne plaisante pas. Les Américains bombarderont Sarajevo dès ce soir, tu sais qu'ils doivent bombarder quelqu'un. Toute cette puissance dans le ciel, et en vain, ce n'est pas possible. Je te dis qu'à cause de ce Džemo nous serons tous punis. Ramène notre fille de chez la mamie, au moins que l'enfant soit avec nous... »

Nino n'est pas allé chercher sa fille à l'autre bout de la ville, parce que c'était le couvre-feu et qu'il n'osait pas. « Ce sera mauvais pour nous si on m'attrape dans la rue à cette heure. Ils me mettront en prison et alors tu seras seule quand le chaos commencera. » Peut-être n'est-il pas parti parce qu'il lui semblait que c'était quand même un peu bizarre. Non que les Américains ne bombarderaient pas Sarajevo, mais « Džemo ne pourrait pas arracher les yeux à cet homme pour rien, cela ne va pas. On ne fait pas cela à Sarajevo. L'homme qui a eu le courage d'enlever Clinton n'est pas de ceux qui ont recours à ces atrocités. » Dans la logique de Nino, c'était le chaînon faible de l'histoire. « A mes yeux, cela ne convenait pas à un Sarajévien, disait-il le lendemain en racontant sa nuit blanche et en fumant à grosses bouffées sa pipe où il n'y a plus de tabac depuis des années. Et puis, tu sais, tout semblait possible. Evidemment, quand on voit ce qui nous arrive... Il y a deux ans, je me serais cru fou si j'avais allumé la radio au milieu de la nuit et entendu que quelqu'un bombarderait Sarajevo et ferait tout ce qu'on fait aujourd'hui. Aujourd'hui, tout est possible, personne n'est fou, tous sont fous. Voilà, c'est la vie... »

La nuit suivante, une station locale a diffusé l'information qu'il y aurait du gaz à Sarajevo dans quelques jours, davantage d'électricité, et que la pression de l'eau serait meilleure. Personne n'a téléphoné, et une voix endormie s'est fait entendre : « Arrêtez vos balivernes, ne nous prenez pas pour des idiots. Donnez de la musique, qu'on dorme enfin. »

L'homme qui aime Pelé

Pendant ces jours brûlants de l'été 1992 où personne à Sarajevo ne comprenait encore ce qui lui était tombé dessus, où la mort guettait derrière chaque coin de rue car la ville n'était pas encore nettoyée de ses *snipers*, le chemin le plus dangereux du nord au sud de la ville était, sans conteste, celui qui passait près de la caserne du Maréchal-Tito. Des deux côtés de ce bâtiment, chaque mètre de chemin était « couvert » par des lunettes de *snipers*. En tuant des civils, ils « défendaient la Serbie et la Yougoslavie ».

Passer près de la caserne équivalait à un « suicide prémédité », comme le disaient ceux qui devaient, malgré tout, s'aventurer par là pour atteindre l'autre partie de la ville. Les modérés et les moins timorés définissaient cela plutôt comme une « roulette russe ». Il est difficile de dire aujourd'hui qui était le plus proche de la vérité. Il n'en reste pas moins que pour ceux qui défiaient régulièrement le destin dans les parages de la caserne, il n'y a jamais eu de dilemme : le challenger le plus obstiné, le plus calme, le plus régulier était Tomislav Počanić. Pour ses amis, Tomislav est depuis des décennies Tomo, le doyen du journalisme sportif de Sarajevo, éternellement souriant, avec l'inévitable tas de journaux sous le bras, l'encyclopédie ambulante de tennis, de boxe, de football, de handball... Sa bonté n'a pas d'égale et, au sein de la rédaction d'*Oslobodjenje*, il sert de « bonne à tout faire ».

Avec persévérance et sans un seul jour de repos, plus ou moins vite, parfois en s'arrêtant un instant derrière un mur, une barrière ou un poteau, le temps de jeter un coup d'œil avant de continuer vers la ville, vers le journal ou — du côté opposé — vers son appartement, Tomo bravait un destin déjà « agacé ». A la grande terreur de tous ses amis, il marchait du côté de la gare, autrement dit du côté le plus proche des fenêtres de la caserne, cachées par des sacs de sable derrière lesquels guettaient les *snipers*. « S'ils décident de le faire, on n'y peut rien », disait Tomo. Nos regards et nos questions, quand il arrivait au journal, semblaient l'étonner. Les plus méchants évoquaient les « tuyaux que Tomo avait à la caserne ». D'autres expliquaient que les *snipers* devaient voir tout de suite qu'il s'agissait d'un homme tranquille et bon, qui n'a rien à voir avec ce monde, et qui n'a pas non plus le temps d'établir ces liens, tellement il est préoccupé par ses buts, paniers, knock-out, statistiques et années glorieuses...

« Comme tout paraissait extraterrestre pendant cet hiver olympique de Sarajevo, en 1984 ! Tu sais, c'est à peu près comme cela que j'imaginais le paradis : béatitude, sourires, beauté, gentillesse et douceur partout, le tout baignant dans la lumière, dans la blancheur de la neige, dans la musique. Et tout cela grâce au sport. Imagine... Quelqu'un te heurte dans la rue et s'excuse tout de suite, demande si tu as besoin d'aide. Tu veux payer le taxi, le chauffeur te dit : “Laissez, c'est pour l'Olympiade, c'est pour le sport.” Ces misérables qui disent aujourd'hui qu'on ne peut pas vivre ensemble, qu'en savent-ils ? Je me rappelle ce génie, cette légende du football, ce très cher Edson Arantès de Nascimento Pelé, et la déclaration qui nous l'a rendu encore plus adorable. Il a dicté à un journaliste précisément les mots que voici : "J'aime qu'on se souvienne de moi comme d'un bon ami de tous. Mais la principale raison de ma fierté, c'est que personne ne pourra dire que j'étais partisan d'une seule religion, d'une seule nation, d'une seule couleur de peau. A mes yeux il n'y a pas de différence entre les hommes."

Encore aujourd'hui, un tas de journaux sous le bras, dans son vieux pardessus, le pas rapide et légèrement courbé, Tomo passe deux fois par jour devant la caserne qui a depuis longtemps cessé de l'être. Elle a été abandonnée en automne 1992, puis incendiée et oubliée. Parcourir tous les jours la ville, comme le fait Tomislav Počanić-Tomo, relève toujours du « suicide prémédité » ou, du moins, de la « roulette russe » ; pour tous, sauf pour lui, qui vit sa vie et fait son travail.

Et cela me paraît bien naturel que Tomo adore Pelé. Pelé lui aussi l'aurait bien aimé s'il l'avait connu, j'en suis absolument sûr.

Camus se retournerait dans sa tombe

Mediha Filipović, professeur à la faculté de stomatologie, spécialiste, était connue à Sarajevo comme « la Française ». Toujours radieuse, toujours élégante, elle semblait être de ceux qui ne souffrent d'aucun complexe. Elle voyageait quand peu le pouvaient, elle récitait des poèmes français, elle chantait des chansons françaises. Elle aimait dire qu'elle « avait appris le français avant notre langue ». A Sarajevo, cela sembla tout à fait naturel que Meda, comme nous l'appelions, partît faire sa spécialisation en France, à Nantes, chez le professeur Jean Delaire. En souriant, elle nous disait : « Les gens viennent ici de toute la France, il est tout naturel que je le fasse aussi. » De Nantes et de Paris, elle écrivait des lettres merveilleuses. Nous étions verts de jalousie de la savoir plongée dans ce monde dont nous ne pouvions que rêver. Elle écrivait sur les impressionnistes et sur les classiques, sur les châteaux de la Loire, sur les existentialistes, sur le Louvre et sur Versailles. Elle adorait tout cela. A l'époque, on ne savait pas ce qu'était la politique, ou ce qu'elle serait à l'avenir.

Pendant toute la guerre, Meda est restée à Sarajevo. Au début de 1992, elle a reçu tous les papiers nécessaires pour un poste au Qatar. Puis ces gens ne se sont plus manifestés. « Ce sont nos frères musulmans », dit-elle parfois avec un sourire amer quand nous nous croisons dans les cafés « éveillés » de Sarajevo. Mais c'est pour « ses Français » que Meda nourrit le plus d'amertume. Comme elle le dit, cela provient du fait d'avoir été trompé par « un proche ».

« Peu m'importe Qatar, c'est comme d'avoir été trompée par quelqu'un que je ne connaissais pas. Je ne pouvais donc m'attendre à rien de sa part. Mais la France, c'était toute ma vie ! Toutes mes émotions, mon éducation, mes nuits studieuses dédiées à leur culture, leur histoire, leurs traditions. Et maintenant ? J'étais à Paris le 8 mai 1981 quand les socialistes sont venus au pouvoir avec Mitterrand. J'ai fêté comme une folle, avec des milliers d'autres. On fêtait la démocratie, l'avenir. On était des idiots, on ne comprenait rien à la politique, aux "intérêts vitaux", aux mensonges. Je me souviens bien, le premier choc que j'ai subi c'était avec Bokassa, l'histoire de son couronnement et tout ça. Et voilà ce qui est venu après. Tous ces efforts pour protéger à tout prix les plus grands fascistes et les pires criminels. Toute cette diplomatie qui ne voulait pas reconnaître parmi les Serbes ni un Bogdan Bogdanović, ni un Mirko Kovač, ni un Živorad Kovačević [1]. Mais elle a su distinguer Slobodan Milošević, Šešelj Arkan et leurs semblables [2]. Sur la base de quelle culture française, de quels classiques, de quelle révolution ont-ils fait un choix pareil ?

« Il n'y a pas que nous qu'ils ont trahis, la Bosnie, Sarajevo. Ils se sont trahis eux-mêmes, et leur propre his-

1. Intellectuels serbes connus pour leur modération et leur libéralisme politique, adversaires du régime de Milošević.

2. Extrême droite serbe, chefs des formations paramilitaires, considérés comme organisateurs des crimes contre les populations civiles en Croatie et en Bosnie-Herzégovine.

toire. J'ai fait des lettres classiques à cause de la France. Dans ma profession, j'ai « grandi » avec la revue *ODF*. Aujourd'hui, après tout, je ne suis pas sûre de vouloir revoir la France et Paris. C'est leur choix, ce n'est pas le mien ni celui de mes amis. Ce sont eux qui ont choisi Karadžić et qui n'ont pas voulu de quelqu'un qui fut leur disciple, dans tous les sens du terme. Albert Camus se retournerait dans sa tombe s'il voyait ce qu'ils ont choisi. Sa *Peste* paraît dérisoire comparée à notre peste, qu'ils ont approuvée, ceux-là mêmes qui ont défendu Bokassa, Milošević et consorts. Cela donne vraiment envie de pleurer... »

Lettre aux musiciens

Lejla Jusič est la fille qui rend différents — on pourrait même dire beaux — les jours à Sarajevo, grâce à son chant accompagné de la guitare ou du piano. Ceux qui ne la connaissaient pas, qui l'entendent pour la première fois, ne peuvent s'empêcher de demander : où était cette fille sereine avant ? D'où vient-elle ? Pourquoi le grand public ne la connaissait-il pas ? Parmi ceux qui sont venus à Sarajevo, il y en a dont l'étonnement se traduit par des blagues : « C'est pendant la guerre que vous avez appris à si bien chanter et jouer ? » C'est ce qu'a demandé à Lejla un journaliste allemand après la Soirée des Sarajéviens », organisée au restaurant « Jež » [Hérisson] au centre ville.

Bien entendu, ce n'est pas dans la guerre que Lejla a appris à jouer et à chanter. Pendant la guerre, elle a appris bien d'autres choses, par nécessité. Par amour, elle a enseigné la musique aux autres. Cela lui a donné envie d'écrire une lettre à ses collègues musiciens de l'étranger. Dans sa lettre datée du 31 janvier 1994, elle leur « explique » comment on est musicien à Sarajevo :

« Juillet 1992, la guerre. Dans un abri improvisé, où l'on vit depuis déjà deux mois car les appartements sont trop dangereux, j'observe deux fillettes. Elles s'empressent d'utiliser le peu d'électricité rétablie pour enregistrer des chansons diffusées à la radio. Elles notent tous les textes dans leurs agendas. La chanson qui semble les intéresser le plus est *Sarajevo, mon amour* de Kemal Monteno, vraisemblablement parce qu'elles commencent à en comprendre les paroles. Cette chanson devient une partie d'elles, comme de tous ceux qui aiment notre ville. Je me souviens que je la chantais quand j'étais petite, au retour des vacances au bord de la mer. Je ne connaissais pas bien le texte et je n'arrivais même pas à bien prononcer les mots, mais je disais parfaitement « Sarajevo, mon amour ». Plus tard, à chaque retour de tournée ou de voyage, la mélodie de cette chanson me trottait dans la tête.

« Après avoir bien noté les textes, la petite Gina — une fillette de treize ans qui fréquentait avant la guerre l'école de musique, apprenait l'accordéon — vient me voir avec sa guitare et elle me demande de lui noter les accords de cette chanson. Elle a décidé d'apprendre à jouer de la guitare, car elle a beaucoup de temps libre. Jouer dehors peut être fatal, la première ligne de front est à deux cents mètres, la seconde à une station de trolleybus. Cela fait trois mois qu'elle ne va plus à l'école, c'est trop dangereux. Elle ne voit donc pas ses camarades de classe. Mais, comme nous tous, elle s'est trouvé de nouveaux amis parmi ses voisins.

« Gina aimait bien passer du temps avec moi, car nous étions liées par quelque chose de très fort qui garde sa place en dépit de tout le mal qui nous entoure : la musique. En effet, tous les jours on pouvait entendre des airs de musique sortir de cet abri, des chansons souvent rythmées par les détonations des obus.

« En janvier 1994, c'est toujours la guerre et Gina est devenue une jeune fille de quinze ans. Elle a appris a jouer de la guitare. Les obus ne lui font plus peur, dit-elle, mais beaucoup d'enfants de son âge ont disparu. Nous avons beaucoup de souvenirs communs qui nous attachent à cet abri. Il nous rappelle les premiers jours de la guerre, lorsque nous ne savions pas ce qui nous attendait. A l'époque, chaque explosion d'obus était pour nous une expérience nouvelle. Mais notre abri évoque aussi de belles heures de compagnie et de musique. La chanson *Sarajevo, mon amour* est devenue l'hymne de l'abri.

« Messieurs les musiciens, l'esprit de Sarajevo l'a emporté une fois de plus. Cela me pousse à vous dire ceci : nous n'avons pas besoin d'orchestres, car nous savons jouer sur des instruments anciens et bien cachés. Nous n'avons pas non plus besoin de nouvelles œuvres, car nous avons de l'inspiration pour créer. Mais essayez au moins de nous donner le la pour la vie à venir, pour la nouvelle musique. Ou peut-être est-ce à nous de le faire ? »

Des enfants qui, comme Gina, ont appris à chanter et à jouer pendant la guerre ne l'oublieront pas. Sinon, pourquoi auraient-ils travaillé dans des caves et dans des abris ? A Sarajevo, la chanson ne peut être oubliée, mais toujours de nouveau enseignée et apprise.

Les coings jaunes

Ne pas connaître Davorin Popović, surnommé Pimpek [le zizi], Dačo, le Chanteur, le Génie, c'est ne rien savoir sur Sarajevo, sur la bande sarajévienne, sur « Fis » ni sur « Mlada Bosna » [Jeune Bosnie], sur la salle Sloga... Cinq jours par semaine de préparation pour trembler les sixième septième jours en entendant la voix de Davorin et le groupe Indexi, tressaillir avant l'extinction des lumières car c'était le moment où « les filles choisissaient » et où on dansait le « slow ».

On ne sait rien sur Sarajevo si l'on ne se rappelle pas quand la plus célèbre sélection yougoslave a joué à « Fis » son match exhibition contre les Sarajéviens. C'est là que l'entraîneur des Yougoslaves a demandé à l'entraîneur de l'équipe locale de retirer du jeu Pimpek, Dačo, le Génie, car « s'il fallait tourner quelqu'un en ridicule, ce n'était pas nous mais vous ». C'est encore ne rien savoir que d'ignorer comment, pendant les premiers jours de guerre, Davorin, Dačo, le génie, a pris sous le bras deux cameramen de la télévision pour s'acheminer avec eux vers Buloge, en direction de Pale. Les « héros serbes » s'étaient déjà retranchés là-bas, et il s'est employé à les persuader de retourner d'où ils étaient venus. Ils l'écoutaient « car ces crétins pensaient [qu'il était] serbe, d'après [son] nom de famille Popović ».

Mais heureusement, insignifiant est le nombre de ceux dans cette ville qui ne savent rien sur Sarajevo, sur Davorin, Dačo, Pimpek, le Chanteur, comme l'appelle affectueusement son meilleur ami Kemal Monteno.

Les mythes de Sarajevo, dont Dačo fait partie depuis toujours, sont devenus ce qu'ils sont aujourd'hui quand ils ont perdu leur aura mythique en devenant des Sarajéviens ordinaires, simples, quotidiens. Ce sont des gens sans qui cette ville ne serait pas ce qu'elle est, sans eux Sarajevo ne pourrait exister. « Les meufs me respectaient davantage quand Dačo me chargeait de lui acheter des clopes, les autres mômes bavaient en voyant que Dieu avait confiance en moi, racontait au début de la guerre un autre Kemo, devenu entre-temps commandant d'une unité spéciale sur une partie sensible de la ligne de défense de la ville. Tu sais, Zlaja, il la jouait fine, lui, il savait que cela faisait monter ma cote chez les filles, mais il faisait mine de ne pas voir... Quand j'ai appris, ces jours-là, qu'il était parti à Buloge, j'ai trouvé ça époustouflant. Tu sais ce qu'il leur a fait là-haut ? Il leur a proposé deux cent mille marks pour qu'ils s'en aillent, il les a presque eus. »

« Pourquoi presque ? intervient Davorin. Ils ont complètement accepté, mais j'avais un petit problème : il m'a manqué ces deux cent mille marks pour terminer l'opération. Pas de chance... »

Avec Davorin Popović, à Sarajevo, il faut parler de ceux qui ne sont plus dans la ville, alors qu'ils étaient indissociables des histoires sarajéviennes. Cela ressemble étrangement, d'après Davorin, à la chanson *Les coings* jaunes. C'est une chanson sans laquelle Sarajevo ne peut plus exister non plus... Qu'ils se demandent pourquoi.

Deux jeunes s'aimèrent
six mois, un an
ils voulurent s'épouser
des ennemis les en empêchèrent...
La belle Fatma tomba malade
fille unique de sa mère
elle souhaita des coings jaunes
des coings jaunes de Stamboul...
Il s'en alla en trouver, son bien-aimé,
des coings jaunes de Stamboul,
mais en trois ans il ne revint pas
ne vint pas, n'écrivit point...
Quand il apporta des coings,
quand il arriva, son bien-aimé,
Fatma gisait sur la civière.
J'en donne deux cents, posez-la,
j'en donne trois cents, montrez-la,
pour que je baise Fatma encore une fois...

« Je ne leur en veux pas. Je n'en veux à personne. Par exemple, Kemo et moi avons reçu récemment, par un intermédiaire, une lettre d'Italie. On nous dit : "Nous voici dans un joli petit restaurant, on boit du *vino rosso* frais, on mange puis on pense à vous, nous savons que c'est dur pour vous". Bon, chapeau, s'ils sont si malins. Je suis heureux qu'ils boivent du *vino rosso* pendant que nous mourons, mais ce vin n'a rien à voir avec nous. Ils ne sont pas des nôtres, ils ne sont plus d'ici, ils n'ont pas le sentiment d'appartenir à « ici », car ce n'est pas leur monde. Ou bien : ici, ce n'est pas leur monde, car aucun sentiment ne les attache ici. Quant à moi, j'appartiens à

« ici », je ne ne m'évanouirai pas pendant trois ans « à Stambul » et ne laisserai pas les miens mourir en m'attendant. C'est ici que j'ai mes coings jaunes. Si je m'en vais en chercher quelque part, ce ne sera pas pour longtemps. Muhammed Kreševljaković, le maire, m'a demandé récemment comment je pouvais penser que la ville m'appartenait. Mais c'est simple, lui ai-je dit, c'est à moi, je suis né ici, tous les miens sont nés ici, c'est moi. Où pourrais-je aller? Pourquoi? Cela ne me gêne pas que certains puissent partir et qu'ils partent. Ma peine c'est quand ils ne se rappellent pas, quand ils oublient. Tu l'as vu, c'est comme dans *Les coings* : à la fin il veut l'embrasser, la voir. Ils feront de même un jour, mais ce sera trop tard, mon Zlaja, trop tard. Où étaient-ils quand il y avait le feu, quand on souffrait? Après, c'est trop tard, je te le dis. C'est pourquoi je pense que c'est beau quand quelqu'un ne t'oublie pas. Notre copain Halid, lui, a pensé à nous. Il a donné de l'argent à un homme qui est revenu de quelque part, il lui a dit : "Offre un pot à Kemo et à Dačo..." Je ne sais pas combien il a donné, l'important c'est d'y avoir pensé. Un autre pote s'est souvenu de nous, avec un demi-litre de brandy. Je lui en suis reconnaissant. Kemo et moi avons besoin de deux décilitres et demi de brandy et de deux décilitres et demi de souvenirs. Pas plus que ça. En fin de compte, la vie se résume à cela, à quelques coings jaunes. C'est le fil qu'on a ou qu'on n'a pas. Il n'y a pas de solution intermédiaire. »

La résistance à la folie

« D'une certaine manière, aujourd'hui, nous sommes tous fous. Notre histoire est terminée, nous sommes arrivés au point de non-retour. Le pire c'est que les vraies conséquences n'apparaîtront que lorsque tout s'arrêtera. Aujourd'hui semblent normaux ceux qui trouvent encore la force de refouler tout ce qui leur arrive. Or dans toute situation normale, une telle attitude entraîne des troubles mentaux. » On est au début de 1994 et ce sont les mots du docteur Ismet Cerić, le chef de la clinique psychiatrique du Centre médical de l'université de Sarajevo. Il est de ces médecins connus qui n'ont pas voulu quitter la ville, même s'ils en avaient probablement la possibilité. Il fut « collègue » de Radovan Karadžić, qui est devenu le *leader* de ceux parmi les Serbes de Bosnie-Herzégovine qui affirment que la vie commune avec les gens d'une autre origine, d'une autre nationalité ou d'un autre nom n'a jamais été possible et ne le sera jamais. C'est en se fondant sur ces convictions qu'il a emmené ses partisans dans la plus grande tuerie jamais vue dans les Balkans.

Calmement, en parlant de son ancien collègue sans émotion, presque surpris par l'évocation de son nom, le docteur Cerić dit : « Beaucoup de journalistes étrangers qui viennent à la clinique posent la question sur Karadžić en dernier lieu. Ils semblent vouloir entendre à tout prix qu'il s'agit d'un homme fou, et ils exposent leurs hypothèses avec preuves à l'appui. Nous n'avons jamais pensé qu'il était fou et nous ne le pensons pas plus aujourd'hui. En effet, cela fait des mois que personne n'a rien à ajouter à son sujet. Comme s'il n'avait jamais existé. Si personne n'a rien à dire sur quelqu'un avec qui on a travaillé pendant vingt ans, c'est suffisamment parlant en soi. Pour nous, il n'existe plus. En revanche, ce qui existe ce sont les drames, les gens qu'on n'oubliera jamais, bien qu'il s'agisse de parfaits inconnus. Prenez, par exemple, cette lettre écrite de manière claire et précise par une fille des environs de Sarajevo après ce qui lui est arrivé au début de la guerre. Elle est venue nous voir deux fois, nous avons longtemps parlé, et puis elle a disparu. Je ne l'ai plus revue. »

Voici cette lettre :

« (...) Un jour, fin juillet 1992, un peu après dix heures du soir, une voiture s'est arrêtée devant la maison, ses feux de détresse allumés. On a encerclé la maison, trois hommes ont enfoncé la porte d'entrée, ils m'ont attrapée et ont pointé trois mitraillettes contre le ventre de ma mère. L'un voulait la tuer, l'autre semblait s'y opposer. Ils m'ont mis un bas sur la tête et m'ont portée dans la voiture. C'est par terre, à leurs pieds, qu'ils m'ont poussée. Je ne savais pas où ils m'emmenaient. Après une brève course, ils m'ont descendue de la voiture et m'ont fait monter un escalier. Je titubais car j'avais toujours le bas sur la tête. Quand ils m'ont dit de m'arrêter, un *tchetnik* m'a attrapée par le bas et par les cheveux en même temps et ils cognaient ma tête contre le mur. Le sang a commencé à couler, j'ai senti que c'était chaud sur ma tête et le sang mouillait le bas. On m'a fait entrer dans une chambre. L'homme m'a ordonné d'enlever le bas. J'ai vu que c'était une chambre d'hôtel, et il y avait un immense *tchetnik* devant moi. Il m'a demandé comment je m'appellais, combien nous avions de terres et pourquoi notre maison était grande. "Les Turcs n'ont pas le droit de vivre et encore moins de posséder quelque chose", disait-il. Il insultait ma mère turque et me battait. Il me cognait la tête avec le fusil. Il a chargé une balle pour me tuer. Je me taisais et je regardais le visage de cet homme défiguré par la haine. J'attendais la mort. Je ne pleurais pas car la dernière goutte de sang en moi avait gelé, je me taisais seulement et je serrais les dents pour ne pas crier. Je pouvais à peine tenir debout à cause des coups. Il m'a ordonné de me déshabiller. Je me suis déshabillée. Il me donnait des coups de poing contre les seins. Il m'a ordonné de m'allonger. Je me suis allongée. Il m'a écarté les jambes et il a enfoncé sa main en disant : "On verra, putain turque, s'il n'y a pas de l'or caché." La douleur retentissait dans ma tête et je le regardais muette, incapable de faire quelque chose. Il a enlevé son pantalon et j'ai regardé dans la direction de la ceinture où était fixé son pistolet, pour voir si je pouvais l'atteindre et nous tuer tous les deux. Dans un miroir, face au lit, j'ai aperçu un garde qui assistait tout. Quand il a fait cette chose, il s'est rhabillé et quand il a vu qu'il était ensanglanté, il m'a donné deux gifles qui m'ont fait tourner la tête. Il est parti en disant que cent vingt filles prisonnières devaient être tuées cette nuit. Ils entraient un par un. J'essayais de rester consciente. J'ai compté jusqu'à cinq, je me suis evanouie, puis quelqu'un m'a giflée, j'ai ouvert les yeux et je me suis de nouveau évanouie. C'est du moins ce qu'il me semble. Je me suis réveillée quand un *tchetnik* a dit que lui aussi devait me régler mon compte, mais que je le dégoûtais. J'ai réussi à lui dire qu'ils m'avaient dégoûtée de tous les hommes, allant de ceux qui n'étaient pas encore nés jusqu'à ceux de cent ans. Quand il a vu combien je saignais, il a apporté deux cruches d'eau et il m'a lavée un peu. Il est parti chercher davantage d'eau, en me disant de m'habiller et de ne pas ouvrir la porte avant de l'entendre. Il est vite revenu avec deux autres cruches d'eau et j'ai essayé de me laver. Peu m'importait d'être bien propre, je voulais voir ma mère. Le *tchetnik* a dit qu'il fallait partir. Je ne pouvais pas marcher, donc il m'a presque portée. Il y avait beaucoup de marches. J'étais très faible quand il m'a posée dans la voiture. Je croyais qu'il allait me jeter dans la rivière Bosna. Il ne l'a pas fait. Il m'a ramenée à la maison. Ma mère m'a accueillie sur le seuil, choquée par ce qu'on m'avait fait. Elle a commencé à hurler et à injurier le *tchetnik*. Il est parti. Il était presque quatre heures du matin. Maman m'a apporté un seau d'eau glaciale de notre puits et elle m'a lavée. Je ne pleurais pas, je regardais dans le vide. Plus tard, maman m'a raconté qu'elle était allée, dès notre départ, chez T. Vasilij et, avec elle, chez Mitar Mamaga. Mitar a emmené maman au bureau *tchetnik* et à la police où maman a demandé qu'ils la tuent elle aussi. Branka Maksimović a giflé Mitar Mamaga et a menacé de le tuer d'une balle de pistolet parce qu'il avait amené une Turque dans le bureau. Maman m'a dit qu'à vr moment quelqu'un de la police est parti sur-le-champ me chercher pour me ramener. Le lendemain, j'ai cassé tout ce que j'ai pu à la maison. Ils ont fait venir un médecin qui m'a fait une piqûre. J'étais couverte de bleus et de blessures. Je n'urinais que du sang.

« Une vingtaine de jours plus tard, j'ai dit à une voisine que j'étais enceinte. Je pensais qu'ils ne me tueraient pas s'ils l'apprenaient. J'avais raison. Quand on a demandé une autorisation de partir, ils demandaient mille marks allemands par personne, trois mille pour nous trois. Je n'avais pas cet argent et personne n'osait me sortir. Mes mains tremblaient sans arrêt. Ce chauffeur, G. R., qui m'avait reconduite cette nuit-là à la maison, proposait de me raccompagner jusqu'à Kiseljak. Je ne lui faisais pas confiance. J'avais peur même des gamins. Il m'a dit que la nuit en question ils avaient été environ quinze et que leur chef était un certain « duc » Gaga de Vogošća.

« L'Unicef a organisé une semaine de paix. Le chef de la police a changé. Živko Lazarević a remplacé Maksimović, qui nous interdisait la sortie. Les voisins ont tout emporté de notre maison : vache, veau, moutons, agneaux, poules, chien, foin, deux voitures, tondeuse, remorque, ils ont même pris les chaussures de maman, c'étaient B. Janja et les autres qui ont tout pris. Ils nous ont laissés partir le 11 novembre. Je suis une thérapie chez le docteur Šada Hadžišehović, qui m'énerve. Elle me dit de prendre un bain et d'oublier, de me marier, d'avoir des enfants, d'aller travailler... Comment, cher docteur, effacer d'un trait toutes ces horreurs dans la tête ? Si — que Dieu vous préserve — cela vous était arrivé, à vous ?

« Je suis consciente du fait que personne ne me comprend, à l'exception de ma mère qui a traversé l'enfer comme moi. Je n'ose pas sortir seule dans la rue. Dans la rue, il y a des hommes qui sont cruels et si vils. »

Le docteur Cérić reprend :

« Voilà, telle est cette guerre. C'est une pure bêtise de donner au hasard des chiffres sur des femmes violées, ce que l'on fait dans le monde et ici aussi. Je ne dis pas que ce qu'on écrit est impossible. Je veux simplement faire remarquer que personne ne sait exactement combien il y a eu de ces cas. Nous ici, à Sarajevo, avons formé une ligue pour la lutte contre la violence. Nous n'avons pas voulu dire que cela concernait directement les femmes violées, pour ne pas les blesser. Il y avait des médecins femmes, on pensait qu'elles s'adresseraient plus facilement à elles. Savez-vous ce qui s'est passé ? Après plus d'un an de recherches, dix-huit victimes se sont fait connaître. Aucune ne voulait parler aux médecins. Je ne sais pas pourquoi. Mais je sais qu'aucune ne voulait donner son nom ni dire ce qu'elle ressentait à l'égard de son futur enfant. Elles venaient voir les médecins hommes, et bien que ce nombre de dix-huit ne soit pas définitif, il était clair que toutes les jeunes femmes réagissaient de la même manière : elles demandaient un fusil pour se venger, pour trouver un jour l'un des violeurs et le tuer lui ou quelqu'un de ses proches. Les femmes plus âgées étaient plus calmes et plus rationnelles. Toutes avaient une chose en commun : aucune ne mêlait l'enfant à l'histoire. Ces futurs enfants étaient considérés à part. Certaines les ont acceptés, d'autres non. En fait, le plus souvent, nous avons appris qu'il y a eu violence quand la mère montrait après l'accouchement qu'elle ne souhaitait pas garder l'enfant. Une seule fois, mis à part cette fille qui a écrit une lettre et qui est venue deux fois, une jeune femme est venue pour essayer de se soulager en nous racontant son histoire. Le pire, d'après elle, c'était que tous les matins des voisines venaient chez elle prendre un café, comme par compassion, et puis elles demandaient pour la millième fois qu'elle leur raconte comment cela c'était passé, combien ils étaient, comment ils avaient fait, ce qu'elle avait ressenti, etc. Un jour, elle a disparu, elle aussi. C'est un mensonge de dire qu'il va y avoir une commission un jour, ici ou sur le plan international, pour établir exactement tout ce qui s'est passé et combien il y a eu de cas.

« Si on peut savoir quelque chose, c'est le drame des suicides à Sarajevo. C'est une ville où il y avait très peu de suicides, avec peu de tentatives et peu de suicides réussis. Ce qui est particulièrement triste, c'est que ce sont aujourd'hui pour la plupart des personnes plus âgées, des intellectuels connus, des universitaires, des comédiens célèbres, des journalistes. Il y en a peu qui l'ont fait d'une manière particulière. Il suffit de se condamner à la solitude dans un appartement froid, à la dépendance de l'aide humanitaire, et d'atteindre l'état où plus personne ne peut vous aider. Il paraît que certaines personnes à Sarajevo sont mortes d'abandon. C'est horrible et vrai. Quand ils arrivent à l'hôpital, quand vous leur parlez, vous voyez qu'ils n'ont plus aucun désir de vivre, et que leur fin arrive parallèllement à leur volonté de ne pas céder au mal et à l'agressivité. Ces hommes ne voient et ne souhaitent voir aucune raison, aucun élément qui pourraient justifier l'acceptation du crime à laquelle ils sont poussés d'une manière ou d'une autre.

« En ce sens, nous sommes tous dans la même situation : à bout de patience, de forces, de nerfs — comme le disent les laïques —, en résistant à cette précipitation vers la violence qui nous guette à chaque pas. La question est de savoir qui tiendra et combien de temps. Je le répète une fois de plus : nous sommes tous potentiellement fous. Mais nous résistons à cette folie comme cela a rarement été vu dans l'histoire.

Le panier

Personne ne sait plus si le siège de Sarajevo sera levé un jour. Et s'il est levé, y aura-t-il encore une Sarajevo? En effet, plus personne ne doute un seul instant que Sarajevo peut disparaître. En revanche, ce qui ne mourra jamais, c'est la légende de la colline Zuč, ce premier front au-dessus de la ville où les Sarajéviens étaient « en-haut » et les autres « en-bas ». Cet endroit où jadis il y avait des forêts et des prés, ces doux cols entre la ville et la Vogosča, c'est aujourd'hui une friche ressemblant à la surface désolée d'une autre planète. Seuls des cratères d'obus et de bombes, par milliers, témoignent que Zuč n'échappe pas au mal et à la souffrance. Un jour, on racontera des histoires sur cette colline qui a défendu Sarajevo pendant des mois, qui ne s'est pas laissé prendre par ceux qui voulaient l'avoir pour pouvoir ensuite pénétrer dans la ville. Mais on oubliera peut-être certaines histoires qui en disent davantage sur les hommes de Zuč que les centaines de milliers d'obus qui y sont tombés.

Une de ces histoires m'a été racontée par un étudiant, Salko Huntič, pendant qu'il sirotait sa bière dans un café du centre ville et qu'il comptait les dernières heures de sa permission de trois jours avant de retourner dans les tranchées de Zuč.

« Je ne sais pas si plus tard, si je survis, je me souviendrai du pire. Je ne sais pas si on peut mémoriser cela. Et puis, qu'y a-t-il à mémoriser ? Je me souviens des moments au début de l'année où ce en trois jours, vingt mille obus nous sont tombés dessus. Je sais que nous avons ri comme des fous, enfouis dans nos "trous de loups", en calculant la distance des obus et en attendant la fin du bombardement, le moment où les fantassins arriveraient. C'est de ce rire que je me souviens. Et encore d'autre chose. C'était au début de l'hiver. Il y avait un peu de brume. A côté de moi et de mon copain qui montions la garde, un garçon de dix ou douze ans est apparu. Il ne fallait pas parler fort ni crier, car ceux de l'autre côté étaient dans leurs tranchées à cinquante mètres de nous. Le garçon avait peur, il est resté bouche bée quand il nous a vus. Il a essayé de rebrousser chemin, mais ce n'était pas possible. J'avais l'impression qu'il ne savait pas où aller. Il tenait sous le bras un panier recouvert d'un torchon blanc.

« — Où vas-tu, petit ? Qui cherches-tu ?

« — Je vais voir mon père. Maman m'a envoyé avec le déjeuner et avec des chaussettes pour ce soir ; il aura froid, dit-elle.

« Le petit arrivait à peine à parler.

« — Et où est ton père ? Sais-tu exactement où il se trouve ?

« — Je ne sais pas, je pensais qu'il devait être par ici, j'ai marché comme maman m'a dit, mais je me suis peut-être perdu.

« — Comment s'appelle-t-il, ton père ?

« — Jovo.

« — Mais tu dois savoir que ton père Jovo n'est pas ici, il est certainement là-bas, de l'autre côté.

« Le petit s'est mis à pleurer en serrant le panier dans ses mains gelées. Il répétait doucement que sa mère le tuerait si elle l'apprenait. Alors, je me suis relevé un peu de ma tranchée, et j'ai crié dans la brume en direction de leur tranchée :

« — Jovo, ton fils est ici, tu m'entends ?

« D'abord rien, pendant une minute. Puis une voix :

« — Je n'y crois pas, vous mentez pour me faire sortir de la tranchée.

« — Pas du tout. On veut seulement vous dire de ne pas tirer sur l'enfant, le petit va t'apporter ton déjeuner.

« J'ai dit au gamin de ne pas avoir peur, de courir vers l'autre côté, et de revenir par le même chemin — celui qu'il connaît : comme ça, il ne se perdra pas. Je voyais dans ses yeux qu'il ne nous croyait pas. Il est quand même sorti de la tranchée et il s'est mis à courir vers l'autre côté. A un moment, il a perdu le torchon blanc de son panier. Après avoir fait quelques pas, il s'est arrêté comme pour réfléchir, il est revenu sur ses pas, il a pris le torchon couvert de boue et il a couru vers l'endroit d'où était venue la voix de son père.

« Pendant longtemps, une heure ou deux peut-être, nous n'avons rien entendu. Silence total. Ils ne tiraient pas, et nous non plus. Un peu pour nous-mêmes, nous pensions au garçon, là-bas dans la tranchée. Subitement, la voix de Jovo, qu'on connaissait maintenant, a retenti :

« — Le petit voudrait revenir. Vous pouvez ne pas tirer ? Il rentre à la maison !

« — D'accord, avons-nous répondu.

« Curieusement, j'étais content de revoir ce garçon, probablement moins effrayé que tout à l'heure.

« Soudain, on l'a vu sortir de la brume, et il s'est précipité, en glissant presque, dans notre tranchée. Le panier était rempli. Il y avait une bouteille bouchée avec un bout de papier journal plié, quelques pommes, un morceau de fromage. Nous croyions que le petit le remportait à la maison.

« — Voilà, c'est ce que papa vous envoie. Vous pouvez boire et manger un peu. Et il vous demande deux cigarettes, si vous en avez. Cela fait trois jours qu'il n'a pas vu de cigarette.

« C'est peut-être un peu trop, me suis-je dit. Le petit nous regardait comme s'il avait autre chose à nous dire, mais il hésitait.

« — Allez, petit, il t'a dit autre chose, ton papa ?

« — Il a dit qu'ils partaient demain d'ici, et que je vous dise que ce soir, ils ne tireront pas. Si vous voulez, tout le monde peut dormir un peu. Demain d'autres viendront à leur place, et que vous sachiez qu'ils tireront beaucoup. Ils ne sont pas d'ici...

« Nous avons attaché le paquet de cigarettes à une pierre, je me suis relevé un peu de ma tranchée et j'ai crié dans la brume :

« — Jovo, prenez ceci, et pour ce soir c'est bon, si on peut vous faire confiance.

« — Nous en laisserons un monter la garde, vous pouvez faire pareil si vous voulez, et on verra qui tient parole, a-t-il crié de là-bas. Merci pour le petit et pour les clopes.

« Ils n'ont pas tiré cette nuit-là. Nous non plus. Le lendemain, vers midi, c'est un véritable enfer qui a commencé : ils retournaient ciel et terre. Je n'ai plus revu le petit, et Jovo ne nous a plus parlé. Mais voilà ce dont je me souviendrai jusqu'à la fin de ma vie... »

Père

Aujourd'hui, je n'ai plus qu'un seul souhait : que mes fils, Ognjen et Dražen, Sarajéviens et Européens par chance ou par concours de circonstances, ressemblent un jour à leur grand-père. A mon père. A celui qui a été tué d'une « mort naturelle » le 9 janvier 1994, comme il l'avait décidé lui-même. La tâche est ardue, et mes fils n'y parviendront peut-être pas. Mais s'ils essaient, s'ils font des efforts, cela nous apportera beaucoup. Cela leur apportera beaucoup...

La dernière nuit avant d'être inhumé au cimetière du Lion, là où reposent tous les Sarajéviens honorables, mon père est resté dans l'appartement qu'il a toujours refusé de quitter. Il était allongé sous un immense tableau représentant, assez naïvement, le Vieux Pont de Mostar qui surplombe la Neretva, peinte d'un bleu féerique. Toute sa vie, mon père a porté ce tableau en lui. Il l'a peint lentement et avec un rare sérieux pour un peintre amateur. Mais c'était un professionnel dans son amour pour cette ville et pour ce fleuve.

Cette nuit-là, autour de son lit, il y avait des gens que personne de la famille ne connaissait. A la nouvelle de sa mort, ils sont venus demander s'ils pouvaient le veiller. « C'est le moins qu'on puisse faire pour un tel homme.

Vous ne comprendriez pas ce que ce monsieur signifiait pour nous, pour les petites gens de notre rue. Comment il savait nous parler... » Je me suis rappelé que, ces derniers mois, mon père me demandait de temps à autre un paquet de cigarettes, alors qu'il ne fumait pas. « Pour mes camarades de la rue, disait-il. Tu sais, Zlatko, ils n'en ont pas ». C'est donc cette dernière nuit, à son chevet, sous le tableau du Vieux Pont, que je les ai rencontrés. Et c'était un honneur de découvrir les camarades de Mustafa Dizdarević, officier supérieur d'une ancienne armée : il y avait là un menuisier, un chauffeur de tramway, un cuisinier retraité.

La veille de cette dernière nuit, mon père m'a dit pourquoi il avait décidé de ne plus se réveiller. Sur le moment, je n'ai pas compris de quoi il parlait, tout comme je n'ai compris aucune des choses essentielles dans cette guerre. Il m'a raccompagné jusqu'à la porte et m'a pris dans ses bras. Jamais, quand je repartais chez moi après avoir vu mes parents, il ne m'avait embrassé. Nous avions une relation « entre hommes ». J'étais enfant lorsque mon père m'a appris que les hommes ne « s'humectaient » pas, mais qu'ils devaient porter en eux beaucoup d'amour pour autrui sans le montrer trop ouvertement. Quand les années ont « fait baisser ses critères », il s'est mis à voler en cachette les baisers de ses petits-enfants.

Ce jour-là, j'ai vu derrière la vitre de l'armoire de sa chambre toutes les photos de ses petits-enfants réfugiés à l'étranger, que je lui ai apportées pendant la guerre. Ce message-là non plus, je ne l'ai pas compris. Sur le pas de la porte, il m'a dit : « Zlatko, c'est terminé. Mon heure est venue. Je ne verrai plus jamais Ogi et Dado, on m'a détruit le Vieux Pont près de ma maison natale, et je ne peux même plus entendre mon violon. » Cet instrument, il l'a possédé pendant soixante-treize ans ; l'instrument en avait cent vingt. Il y a cinq ans déjà, au bon vieux temps, il l'a légué à son petit-fils Dražen, convaincu que celui-ci « avait sans aucun doute une bonne oreille ».

Cela passera, pensais-je. Il est fort, il est debout. Je ne concevais pas que celui à qui on a volé ses petits-enfants, ses souvenirs et sa musique puisse ne plus être debout. Ma mère a téléphoné le lendemain matin. Incapable de parler, elle pleurait. Ce n'est qu'à ce moment que j'ai commencé à comprendre pourquoi, la veille, mon père m'avait embrassé en enfreignant sa règle.

Cette « mort naturelle » à Sarajevo cachait une autre signification cruelle. Ce n'est pas une balle, un éclat destiné au corps qui a tué mon père. « Ils » lui ont épargné le cœur et la tête, mais « ils » lui ont volé l'essentiel : son passé, son avenir, son présent.

Le lendemain, il a été « enfoui » au cimetière du Lion, numéro « treize et quarante-cinq » : c'est ce qui était écrit sur le cercueil fait d'un épais carton. Prix : soixante-quinze marks allemands et cinq litres d'essence. A treize heures quinze, je leur criais comme un fou de ne pas commencer l'enterrement, car ils avaient annoncé que c'était un « treize et quarante-cinq », il était trop tôt, il fallait attendre ses camarades, boulangers, généraux, pêcheurs, musiciens, journalistes... Les fossoyeurs m'ont répliqué d'en bas : « Descendez ou bien on couvre. Peu nous importe l'heure. Ici, on tue, bon sang... »

Ainsi donc ils l'ont « enfoui ». Le caveau acheté il y a longtemps et recouvert de mauvaises herbes, à Mostar, non loin du Vieux Pont qui n'existe plus, demeurera vide à jamais. Boulangers, généraux, pêcheurs et musiciens sont arrivés à treize heures quarante-cinq, comme annoncé. Pour les adieux, pour les larmes et pour le silence, il était trop tard.

Non, à Sarajevo on ne meurt pas comme on a vécu. C'est un mensonge. A Sarajevo, on vous achève, que ce soit par « mort naturelle » ou non. Mais les petits-enfants sont là pour ressembler à ceux qui ne sont plus. Il subsiste les petits-enfants sarajéviens et, par la force des choses, européens. Aux petits-fils de ce père, il reste, de surcroît, un violon.

Aubin Imprimeur
LIGUGÉ, POITIERS

IMPRESSION – FINITION

Achevé d'imprimer en avril 1994
N° d'impression L 45181
Dépôt légal avril 1994
Imprimé en France

vizıblement câlin 107 qui aime être caressé

tué par un obus 109

loi clément

a chaque rafale 113 coup de vent soudain et brutal / coups de mitraillette

rebroussé chemin 113

ville est pillonnée 116 pillaged

gisant au bas... 117

obus 118

pas ... le dépit bosniaque 119